A identidade envergonhada

Do autor

A derrota do pensamento

Um coração inteligente

A memória vã

Alain Finkielkraut

A identidade envergonhada

Imigração e multiculturalismo na França hoje

Tradução
Clóvis Marques

1ª edição

Rio de Janeiro | 2017

Título original: *L'identité malheureuse*

Texto revisado segundo o novo
Acordo Ortográfico da Língua Portuguesa

2017
Impresso no Brasil
Printed in Brazil

CIP-BRASIL. CATALOGAÇÃO NA PUBLICAÇÃO
SINDICATO NACIONAL DOS EDITORES DE LIVROS, RJ

F535i

Finkielkraut, Alain, 1949-
A identidade envergonhada: imigração e multiculturalismo na França hoje / Alain Finkielkraut; tradução de Clóvis Marques. – 1ª ed. – Rio de Janeiro: Difel, 2017.
160 p.; 21 cm.

Tradução de: L'identité malheureuse
Inclui bibliografia
ISBN 978-85-7432-135-6

1. Sociologia. 2. Imigração – Política – França. I. Marques, Clóvis. II. Título.

17-45070

CDD: 305
CDU: 316.7

DIFEL – Selo Editorial da
EDITORA BERTRAND BRASIL LTDA.
Rua Argentina, 171 – 2º andar – São Cristóvão
20921-380 – Rio de Janeiro – RJ
Tel.: (21) 2585-2000 – Fax: (21) 2585-2084

Atendimento e venda direta ao leitor:
mdireto@record.com.br ou (21) 2585-2002

Para Thomas

Sumário

Prefácio

A mudança não é mais como era

Eu nasci em Paris a 30 de junho de 1949, o que significa que cresci e passei uma parte da vida adulta, pessoal e profissional numa França muito diferente daquela em que vivemos hoje. Nessa França anterior, acreditava-se na política. Nessa França de outros tempos, a história já tinha de responder por seus crimes, mas ainda parecia ter um sentido.

Em maio de 1968, eu estava terminando meu ano de *khâgne** no Liceu Henri IV. Fora para o interior, numa aldeia da região de Sologne, a fim de estudar com um amigo visando ao concurso para a École Normale Supérieure. Nós estudávamos durante o dia, eu entrava em pânico à noite, o mundo não existia mais, só havia lugar na minha vida para esse compromisso. De modo que fui apanhado de surpresa pelos *acontecimentos*, como logo se passou

* No ensino secundário francês, classe do liceu que prepara para a entrada na École Normale Supérieure (letras). (*N. T.*)

a designá-los: eles desembarcaram sem aviso prévio. Apesar da promessa de não me deixar distrair, eu comecei a acompanhá-los com o ouvido colado num transistor. Mas não demorou para que essa passividade me parecesse incômoda. Eu não queria nem tinha como ficar de lado e continuar fazendo figuração num hotelzinho elegante e tranquilo do interior.

De volta a Paris depois dos primeiros confrontos entre os estudantes e a polícia, vivi plenamente esse momento de graça, essa interrupção sabática da vida corrente, na qual as pessoas não se cruzavam mais, mas se ouviam e disputavam a palavra. Com a participação de todos e para espanto geral, o formigueiro se transformara em ágora. Nada escapava à crítica; era embriagador repensar tudo, recomeçar tudo, refazer tudo. E isso nas ruas, a céu aberto, numa cidade subitamente liberada da tirania dos transportes: as ruas não eram mais reduzidas à condição de vias de passagem, os carros cediam terreno, o verbo tomava conta do espaço. É verdade que um verbo extremamente codificado: eu, que nunca tinha militado, descobri em mim, como a maioria dos meus interlocutores, uma surpreendente facilidade de aprender e falar o idioma revolucionário. Cantei "Bella Ciao" em manifestações no boulevard Saint-Michel, redigi cartazes, perdi a voz nas assembleias-gerais e, com outros colegas, enfeitiçados pelo slogan "Sejamos realistas, exijamos o impossível!", exigi o adiamento do concurso para o mês de setembro. E tivemos ganho de causa. Chegando o verão, soou a hora da dispersão, e nos separamos na natureza, em férias de preocupação e estudos: a história voltava a ser uma matéria, o latim retomava seus direitos. Pessoalmente, meti a cara nas minhas fichas, revi as matérias, prestei concurso, fui reprovado e no ano seguinte entrei para a École Normale Supérieure de Saint-Cloud, hoje sediada em Lyon. Mas não deixara para trás a paixão pela política.

Vieram os anos esquerdistas de desconstrução dos valores herdados, questionamento de todas as modalidades de Poder e aspiração a uma mudança radical do mundo. E depois chegou a hora da virada antitotalitária. Inspirados no combate conduzido pelos dissidentes no que era então a "outra Europa", nós, os contestadores, nos reconciliamos também com o sufrágio universal e os direitos humanos. De repente nos demos conta de que esses direitos não serviam para encobrir um sistema de dominação, como ensinava o marxismo ortodoxo, mas que, onde vigoravam, estabeleciam um limite intangível para o direito do Estado. Conscientizamo-nos da sorte que era a liberdade política e paramos de entoar: "Eleições, armadilha para otários!" Aqueles que nos invejavam por vivermos num regime representativo livraram-se da alergia a essa modalidade de existência em comum que vinha de nos ser inculcada pelos clássicos da Revolução e reforçada pela "Câmara Impossível" que saiu das urnas depois de Maio.*

Em 1968, nós nos chamávamos orgulhosamente de "camaradas", mas já sabíamos que não era pouca coisa ser *cidadãos*, e não *súditos*, como outrora, ou *suspeitos*, como em outros países. Além disso, a leitura de *Arquipélago Gulag* nos ensinou o que a monstruosidade do crime devia à ideologia, e essa revelação curou a arrogância intelectual de boa parte de nós. E eu encontraria a mais exata expressão da nossa perplexidade e desilusão ao dar recentemente com esta frase de Goethe: "As ideias gerais e a grande presunção estão sempre provocando terríveis desgraças."

---

* A *Chambre Introuvable* foi a câmara eleita na França em agosto de 1815 com uma maioria de deputados realistas, os chamados "ultras". A designação é atribuída a Luís XVIII, querendo dizer que não poderia sonhar com uma câmara mais favorável a seu trono, embora o regime logo viesse a ser contestado por esses deputados "mais realistas que o rei". (*N. T.*)

Eximidos por nossa data e lugar de nascimento dessas terríveis desgraças e de grandes catástrofes, nós não fomos capazes de nos resguardar, por outro lado, de um sentimento de impostura. Aos poucos ficou claro para nós o elemento de comédia contido nos nossos engajamentos, quando vestíamos, sem ter de pagar o preço, a fantasia do revolucionário e do resistente. Mas nem por isso se tratava de abandonar o espaço público. Mantivemo-nos mobilizados, participamos de manifestações, chegamos até a conquistar liberdades novas, e foi mais uma vez na esperança de "mudar a vida" que levamos François Mitterrand ao poder em 10 de maio de 1981.

Mas esse slogan permaneceu letra morta. É verdade que muitas coisas aconteceram em nossas vidas e no mundo, a história não parou nem adormeceu, acontecimentos imprevistos e milagrosos como a queda do Muro de Berlim ou assustadores como a destruição das torres gêmeas de Manhattan nos deixaram sem fôlego, não parou de chover inovações, a técnica inventou e ainda inventará, como já previa Péguy no início do século passado, "grafias, fonias e scopias que serão todas igualmente 'tele'". Pondo fim ao antagonismo que já se tornara proverbial entre o Burguês e o Artista, surgiu até um novo tipo humano: o *bobo.** Como já indica o nome, ele não nasceu do nada, mas do cruzamento entre a aspiração burguesa a uma vida confortável e o abandono boêmio das exigências do dever, em favor dos elãs do desejo, da duração em favor da intensidade, dos trajes e posturas rígidas; enfim, em favor de uma ostentação da descontração. O *bobo* quer jogar nas

---

* *Bourgeois-bohème* (burguês boêmio), expressão surgida na primeira década do século XX para designar um tipo urbano cosmopolita de classe social relativamente bem situada e que cultiva gostos "alternativos" ou artístico-intelectualizados. (*N. T.*)

duas frentes: ser plenamente adulto e prolongar eternamente a adolescência. Esse híbrido produzido por nossa geração dá testemunho da liberação dos costumes e de certa maneira de habitar o tempo, diferentemente da maneira dos nossos pais. O fenômeno não é indiferente. Seria um equívoco não levá-lo a sério. Mas o fato é que, no sentido em que o entendíamos, no sentido em que sonhávamos, não mudamos o mundo, não mudamos a vida. É *business as usual*. E mesmo, poderíamos dizer, *business more than ever*. A esfera não mercantil da vida não para de encolher: já não há quase o que não possa ser comercializado. E, quando subsiste proibição, os indivíduos a contornam fazendo pleno uso da globalização: impossível até pouco tempo atrás, o aluguel de ventres maternos se desenvolve graças à Internet com o nome enganosamente desinteressado de *gestação para terceiros*. E a publicidade, que era — ainda se lembram? — o primeiro alvo da contestação, adquiriu hoje estatuto de algo incontornável. Exaltada como *cultura publicitária*, ela reina onipotente e indiscutível, dita suas leis no rádio e na televisão, invade as telas dos computadores, devasta a entrada das cidades, aparece nas velas dos trimarãs, nos trajes de competições esportivas e nos cadernos dos alunos. Ao vir assim o desejo de as marcas reforçarem o dos objetos, produzimos e consumimos numa corrida sem fim, e os próprios políticos, qualquer que seja seu partido, parecem temer apenas a recessão e ter como único horizonte o crescimento.

A essa lógica, para bem marcar nossa hostilidade, dávamos o nome de "sistema". Um sistema que não estávamos certos de poder derrubar, mas ao qual não tínhamos a menor intenção de sujeitar nossa vida. Se não tomávamos nenhuma Bastilha, pelo menos tínhamos decidido fazer dissidência, posicionando-nos de outra forma, vivendo de outra maneira. Hoje, jogamos o jogo, estamos integrados. Seria o caso de concluir que nos tornamos responsáveis ou, para empregar outra palavra muito usada nos tempos da contestação, *recuperados*? Ao entrar na vida ativa, seguimos o caminho normal do interesse bem compreendido ou o patético caminho da normalização? Os jovens indignados que éramos se deixaram aprisionar ou se tornaram razoáveis? Nós crescemos ou pactuamos? Numa palavra, foram nossas ilusões angélicas que se perderam ou nossa bela intransigência?

Poderão objetar, com razão, que com esse "nós" peremptório eu estou me apressando um pouco. Em todas as gerações há exceções à regra do "cair no bom senso". É o caso de Stéphane Hessel, cujo *Indignai-vos!* transformou-se em alguns meses no "livrinho bege" do início do século que começa. Tendo chegado, segundo sua própria expressão, à "derradeira de todas as etapas", o autor dirige-se aos jovens, dizendo: "Olhem ao seu redor e encontrarão os temas que justificam a sua indignação (...). Encontrarão situações concretas que os levem a dar livre curso a uma ação cidadã forte. Procurem e encontrarão!" Em outras palavras, não é preciso pesar, calcular e refletir muito: a humanidade nunca encontra problemas, só escândalos. É o que se chama transmitir a chama. Mas existe uma diferença fundamental entre essa indignação e a radicalidade de algum tempo atrás: a grande mudança não está mais na ordem do dia. O escândalo dos escândalos, segundo nos diz Hessel em seu testamento político, é o desmantelamento do Estado previdenciário. Ele então não exorta a um rompimento com o mundo antigo, quer que o mundo volte a ser o que era antes de ser deslanchada a onda neoliberal. Como escreve François Furet no fim de *O passado de uma ilusão*: "A ideia de uma outra sociedade tornou-se quase impossível de imaginar, e por sinal ninguém, no mundo de hoje, oferece nesse terreno o esboço de um conceito novo."

Em matéria de conceito novo, Stéphane Hessel invoca o programa do Conselho Nacional da Resistência, exorta-nos a "cuidar juntos para que nossa sociedade *continue sendo* uma sociedade de que nos orgulhemos" e quando a esquerda, estimulada pelo indomável nonagenário, se apresenta nas urnas e ganha as eleições, é prometendo, com a palavra de ordem *mudança agora*, a reconciliação dos cidadãos, a recuperação das finanças públicas, a volta do crescimento e a preservação ou refundação do nosso modelo social.

Segunda diferença, segunda grande novidade da nossa época: abrir mão de mudar o mundo não se traduz na perpetuação do *status quo* nem num retrocesso. No exato momento em que nos tornamos realistas no sentido clássico da palavra e, conformados ou moderados, fazemos o luto do impossível, o que ninguém jamais previu nem sequer contemplou acontece sem alarde, revolucionando tudo. No momento em que, para nos expressarmos mais uma vez como François Furet, nos sentimos "condenados a viver no mundo em que vivemos", esse mundo nos escapa por entre os dedos. Em 1968, dizíamos: "Corra, camarada, o Velho Mundo está vindo atrás!" Ofegantes, nós moderamos o passo, paramos e não reconhecemos mais o Velho Mundo. O homem se pensava como autor de sua história através do conceito de mudança, e eis que a mudança o priva dessa prerrogativa.

Abro o relatório sobre os "desafios da integração na escola" entregue ao primeiro-ministro pelo Alto Conselho para a Integração em 28 de janeiro de 2011. No Capítulo 3 leio: "Desse modo, a pressão religiosa se introduz nos cursos e na contestação ou evitação de certos conteúdos de ensino. Assim, as aulas de ginástica e na piscina são evitadas por mocinhas que não querem conviver com os meninos. Essas dispensas de ensino, às vezes justificadas por atestados médicos complacentes, levantam o problema do viver-junto entre meninas e meninos." Pouco adiante, no mesmo capítulo: "Fomos informados de que, em certos bairros que são objeto da política municipal, as cantinas são pouco frequentadas, apesar do fornecimento de refeições para famílias desfavorecidas. Assim, em vários colégios das comunidades visitadas pelo Alto Conselho, a maioria dos alunos do estabelecimento não frequenta a cantina escolar por motivos principalmente religiosos, embora constem do cardápio pratos opcionais. O viver-junto é comprometido, formam-se grupos no interior das cantinas." Donde essa solene exortação do Alto Conselho frente aos conflitos cada vez mais frequentes nas salas de aula: "A escola republicana deve mais que nunca mostrar-se capaz de assumir sua missão original: ser o cadinho onde é gerado o viver-junto para além da simples coexistência e da tolerância das diferenças."

Eu passei na *agrégation** de letras modernas em 1972. Depois de um estágio em vários liceus parisienses, passei a ensinar num liceu técnico de Beauvais, e estava a mil léguas dessas preocupações. Como a maioria dos professores da minha geração, eu me dividia entre duas exigências: por um lado, a preocupação de transmitir o conhecimento que comecei a adquirir aos meus alunos, os quais não haviam nascido em meio a livros, para cumprir, na minha modesta escala, o que Mandelstam chamou, num verso inesquecível, de "esplêndida promessa feita ao quarto estado"; e por outro lado, a vontade de descer do estrado, de desmistificar e mesmo abandonar a autoridade pedagógica de que estava investido, e que me parecia um poder de domesticação ou uma

* Concurso público para professor de segundo grau ou universitário. (*N. T.*)

"violência simbólica", para retomar a impiedosa formulação de Pierre Bourdieu. Eu queria ensinar e não queria ser um mestre. Vá entender! De qualquer maneira, nem o meu entusiasmo nem a minha consciência pesada me apresentavam a escola como o cadinho do viver-junto. Na época, ninguém se expressava dessa maneira. Nenhum dirigente municipal, nenhum produtor de eventos culturais pensava então, apesar da profusão de desfiles, em organizar grandes "paradas techno" para celebrar a "diversidade e a mistura sociais" ou o "melhor viver-junto". É verdade que havia polêmicas e disputas — ou "lutas", como se preferia dizer, para elevar a política ao nível da epopeia. Mas a sociedade conflituosa em que evoluíamos ainda era, sem sabê-lo, uma nação homogênea. A desconexão botou o vínculo social na ordem do dia. O desmembramento e o ressentimento comunitários fizeram a fortuna léxica do seu antônimo. É no momento em que, numa quantidade cada vez maior de estabelecimentos, o ensino não consiste mais em transmitir o saber, mas em saber "controlar a turma" (como se diz até na linguagem oficial) que o viver-junto entra para a língua. A frequência com que a palavra aparece traduz a desorientação de uma sociedade que assiste ao desaparecimento da coisa.

Em 1974, quando eu ensinava no liceu técnico de Beauvais, foram tomadas duas decisões contraditórias: as fronteiras foram fechadas e os trabalhadores estrangeiros passaram a ter direito de mandar vir suas famílias. Foi assim, numa Europa que não tem mais como controlar os fluxos migratórios, tendo-se transformado, em consequência desse agrupamento familiar, do aumento constante de solicitantes de asilo e da continuação das entradas clandestinas, num "continente de imigração contra a vontade" (Catherine Wihtol de Wenden), que a França mudou, a vida mudou, a própria mudança mudou. Ela era uma operação da vontade, e eis que se produz sem que ninguém a programe. Era empreendida, passou a ser sofrida. Era desejada, e agora é de destino. A mudança não é mais aquilo que fazemos ou a que aspiramos, a mudança é o que nos acontece. E o que nos acontece, aquilo com que nos defrontamos violentamente, com esse movimento irresistível de recomposição de repovoamento do mundo, é a crise da integração. Em outras palavras, a economia não ocupa sozinha o lugar deixado vago pela política, nossa situação não pode resumir-se na progressiva substituição do cidadão pelo trabalhador-consumidor, nem tudo é *business as usual*: há também a *discordância dos usos*. Aos especialistas que julgam tocar pelos números a carne do real e afirmam — de calculadora na mão — que o influxo de imigrantes compensa providencialmente a queda da natalidade no Velho Continente, a experiência responde que os indivíduos não são permutáveis. Por mais identicamente estejam submetidos à lógica do interesse, não foram feitos no mesmo molde, não têm a mesma maneira de habitar nem de entender o mundo. Nenhuma dessas diferenças é imutável. Nenhuma é insuperável. Nem todas são antagônicas. Mas quando, sob a fina película de universalidade com que a indústria do divertimento, as grandes competições esportivas, os jeans e os refrigerantes cobrem o planeta, os modos de vida se chocam, a crise explode. Primeiro sintoma dessa crise na França: a querela da laicidade.

Leigos contra leigos

Tudo começa em outubro de 1989 num colégio de Creil, subúrbio de Paris. Três alunas são expulsas por se terem recusado a tirar o lenço islâmico em sala de aula, apesar da decisão do conselho de administração nesse sentido. "O colégio é francês, de Creil e leigo. Não queremos ser infestados pela problemática religiosa", declara o diretor, Ernest Chénière. Tem início a polêmica. O arcebispo de Paris se insurge: "Não vamos declarar guerra às adolescentes *beurs*.* Cessar-fogo!" A porta-voz dos protestantes da França manifesta sua preocupação: "A nossa França adormecida desperta para entrar novamente em guerra contra uma religião. Velha história que certamente lembra alguma coisa aos *parpaillots*."** O rabino-chefe da França afirma que obrigar um aluno a abrir mão de suas convicções religiosas para frequentar um estabelecimento público constitui um atentado ao livre exercício do culto. Mas as Igrejas não são as únicas a protestar.

---

* Neologismo que designa descendentes de imigrantes da África do Norte na França. (*N. T.*)

** Designação pejorativa dos protestantes originada na época das guerras religiosas do século XVI. (*N. T.*)

A expulsão também causa indignação nas associações antirracistas. O MRAP* considera que "outras comunidades manifestam sua vinculação religiosa sem ser objeto de sanções". SOS Racismo sustenta que "em hipótese alguma se pode infligir uma sanção a alunos em virtude de sua fé". O diretor do Colégio Gabriel-Havez é acusado de não ter optado pela *firmeza*, mas pelo *fechamento*, maquiando de intransigência republicana a fria violência de um puro e simples banimento. Sensível a essa argumentação e preocupado sobretudo em evitar que o caso tivesse um efeito propagador, Lionel Jospin, o ministro da Educação Nacional, propõe um compromisso: "Numa primeira etapa, os diretores de estabelecimentos devem entrar em diálogo com os pais e filhos envolvidos para convencê-los a abrir mão dessas manifestações, explicando os princípios da laicidade. (...) Se, ao fim desses entendimentos, algumas famílias persistirem em não aceitar abrir mão de todo símbolo religioso, a criança — cuja escolarização é prioritária — deve ser aceita no estabelecimento público, vale dizer, nas salas de aula e nos pátios de recreação. A escola francesa existe para educar, para integrar e não para rejeitar."

Essa brandura suscita reações diversas. Eu mesmo estou entre os que a condenam, embora ela venha do coração e à primeira vista pareça justa e sábia. No manifesto assinado também por Élisabeth Badinter, Régis Debray, Élisabeth de Fontenay e Catherine Kintzler, nós interpelávamos direta e vigorosamente o ministro da Educação Nacional: "O senhor diz, Sr. Ministro, que está excluída a hipótese de excluir. Apesar de sensibilizados com sua gentileza, nós respondemos (...) que é permitido proibir. (...) Negociar anunciando que se vai ceder, como faz o senhor, tem um nome: capitular. (...) É preciso que os alunos tenham a possibilidade de

* Movimento contra o Racismo e pela Amizade entre os Povos. (*N. T.*)

esquecer sua comunidade de origem e deixar de pensar apenas no que são para poder pensar por eles mesmos. (...) O direito à diferença que lhe é tão caro só é uma liberdade se vier acompanhado do direito de ser diferente da própria diferença. Caso contrário, é uma armadilha, e mesmo uma escravidão."

Para se safar e acalmar a situação, Lionel Jospin pede a opinião dos Sábios do Conselho de Estado, os quais, ao mesmo tempo em que se recusam a considerar os símbolos religiosos contrários à laicidade, estabelecem certos limites, confiando aos diretores dos estabelecimentos a tarefa de avaliar se ocorre exagero, proselitismo, propaganda ou perturbação do bom andamento das atividades de ensino. No dia 12 de dezembro, o ministro baixa uma circular de acordo com esse parecer jurídico, mas, como o parecer não é claro, proliferam os casos litigiosos. Os pais das jovens proibidas de usar o lenço recorrem à Justiça, e um dos casos chega ao Conselho de Estado, que, decidindo já agora em caráter jurisdicional, anula a expulsão das jovens determinada pelo colégio em aplicação do regulamento interno (que proibia o uso de qualquer símbolo religioso distintivo). O comissário do governo, David Kessler, justifica a decisão nos seguintes termos: "A neutralidade da escola é a neutralidade do ensino, a escola não deve veicular nenhuma ideologia suscetível de ferir a consciência dos alunos." David Kessler abraça, rejuvenescendo-os, os termos de Jules Ferry em sua admirável "Carta aos professores": "Pergunte a si mesmo se existe, até onde pode saber, um único homem de bem suscetível de ficar melindrado com o que você vai dizer. Pergunte a si mesmo se um pai de família, e digo um só, presente na sua classe e ouvindo-o, poderia de boa-fé recusar seu assentimento ao que ouvir. Em caso positivo, abstenha-se de dizê-lo; caso contrário, fale com destemor, pois o que vai transmitir à criança não é sua própria sabedoria, é a sabedoria do gênero humano."

Entretanto, acrescenta Kessler, a neutralidade não se impõe diretamente como tal aos alunos. Eles chegam à escola com sua religião, e, desde que assistam a todas as aulas e não cometam nenhum ato de proselitismo, têm esse direito. Não há qualquer motivo para exigir do aluno, que não é um agente do serviço público, mas seu beneficiário, que se exima de manifestar sua crença. É assim que o comissário do governo chega à seguinte conclusão: "Quando se trata de uma liberdade, pode-se limitar essa liberdade porque ela se choca com outras liberdades, mas nenhuma limitação pode ser geral e absoluta." E como não pode haver proibição geral e absoluta, "é necessário verificar em cada caso se o símbolo é ostentatório, proselitista ou provocador".

Depois de semelhante decisão, proliferam os casos litigiosos, pareceres contraditórios são apresentados, os juízes se defrontam com contenciosos cada vez mais numerosos. O que leva em 1994 o ministro da Educação Nacional, François Bayrou, a enviar uma circular aos diretores de escolas, na qual se lê: "Essa ideia francesa da nação e da República é, por natureza, respeitosa de todas as convicções, particularmente convicções religiosas e políticas, e das tradições culturais. Mas ela exclui o estilhaçamento da nação em comunidades separadas, indiferentes umas às outras, levando em conta exclusivamente suas próprias regras e suas próprias leis e envolvidas numa simples coexistência. A nação não é apenas um conjunto de cidadãos detentores de direitos individuais. Ela é uma comunidade de destino." É por isso que o ministro propõe a inclusão do seguinte artigo no regulamento interno dos estabelecimentos escolares: "O uso por parte dos alunos de símbolos discretos expressando sua vinculação pessoal a convicções, especialmente religiosas, é admitido no estabelecimento. Mas os símbolos ostentatórios, que em si mesmos constituem elementos de proselitismo ou discriminação, são proibidos." Haveria, portanto, símbolos e símbolos. Mas como traçar com certeza a fronteira entre os que seriam autorizados numa escola leiga e os que ofenderiam a laicidade? À falta de um critério evidente, a jurisprudência oscila, levando a decisões variadas dos tribunais administrativos. Alguns consideram que o uso do véu é em si mesmo um elemento de proselitismo; outros, não. Em suma, o problema não foi resolvido. Assim, em 2003, o chefe de Estado, Jacques Chirac, incumbe Bernard Stasi, político unanimemente respeitado, de presidir uma comissão de reflexão sobre o princípio de laicidade na República.

A maioria dos membros dessa comissão revela-se hostil a uma lei de proibição e favorável à negociação caso a caso. São levados a mudar de opinião pelas audiências dos agentes locais. Eles manifestam sua preocupação e sua desorientação diante de um fenômeno até então pouco perceptível na França, o *comunitarismo*, com a primazia da vinculação a um grupo particular sobre a vinculação à República, e das convicções próprias desse grupo sobre a regra geral. Depois de ouvir diretores de escolas e associações, além de representantes dos partidos políticos, dos sindicatos, das grandes religiões, da maçonaria e das organizações leigas, a comissão Stasi preconiza por unanimidade, com uma abstenção, a proibição pura e simples dos símbolos religiosos na escola.

E ela foi ouvida. Em 15 de março de 2004, o Parlamento francês votava uma lei proibindo símbolos cujo porte leve imediatamente ao reconhecimento de sua vinculação religiosa, como o véu islâmico, o quipá, a cruz de dimensão manifestamente excessiva.

Em matéria de laicidade, não é a primeira batalha dos franceses. Foi necessário nada menos que a Revolução para que o Estado se secularizasse, e um século depois a escola republicana nasceu de uma luta encarniçada entre os laicos e os clericais. Estes não queriam apenas defender o que lhes restava de poder. Achavam sinceramente que, se Deus caísse no esquecimento, nada impediria os homens de fazer o mal. Ora, argumentava monsenhor Freppel, arcebispo de Paris: "Deixar de falar de Deus à criança durante sete anos, enquanto ela é instruída durante seis horas por dia, é levá-la a acreditar positivamente que Deus não existe ou que não temos a menor necessidade dele." Resposta cortante de Ferdinand Buisson, um dos arquitetos da laicidade republicana: "Alguém se torna rei clerical no exato momento em que inclina sua razão e sua consciência diante de uma autoridade externa que se arvora e à qual reconhece um caráter divino." Em outras palavras, a pretexto de moralizar as almas, o clericalismo submete as mentes. Essa mentira deve ser denunciada e substituída pela aplicação do programa do Iluminismo, esplendidamente definido por Kant como "a saída do homem do estado de minoria pelo qual ele próprio é responsável. O estado de tutela é a incapacidade de se servir do próprio entendimento sem a liderança de um outro. (...) *Sapere aude!* Tenha a coragem de se servir do seu próprio entendimento. Eis o lema do Iluminismo". Mas essa resolução não pode vir desacompanhada. A coragem não é suficiente: estamos mergulhados no charco da ignorância, e não será puxando a nós mesmos pelos cabelos, como o barão de Münchhausen, que dele sairemos. Para dizê-lo com uma outra imagem: nem todos nascemos com a coxa de Júpiter. Precisamos de instrução, vale dizer, de mestres para poder, no fim das contas, libertar-nos de toda direção alheia. Ninguém pensa por si mesmo sem passar pelos outros e particularmente pelo que foi pensado antes. Como diz admiravelmente o matemático Laurent Lafforgue: "A faculdade de pensar faz parte do que caracteriza o homem, e é dada a cada um, mas o pensamento propriamente dito, em suas diferentes manifestações que compõem a cultura, não é inato.

Ele é uma lenta construção humana, uma tradição, uma herança que cada geração recebe da anterior e que retrabalha, enriquece, transforma e aprofunda. A escola é por definição o lugar onde as novas gerações são introduzidas nas tradições culturais da humanidade que são portadoras do pensamento." Na grande querela entre o pároco e o professor, duas autoridades se defrontam: a autoridade diante da qual o pensamento se inclina, a autoridade pela qual o pensamento se afirma; a fala revelada e o melhor da fala humana. E essas duas autoridades, como observa Waldeck-Rousseau no limiar do século XX, formam "duas juventudes que crescem sem se conhecer, até o dia em que se encontrarão, tão diferentes que correm o risco de não mais se entender".

Mas seria um equívoco acreditar que, com o caso dos símbolos religiosos, a guerra entre a França do Iluminismo e a França devota recomeçou ainda mais forte, depois de uma longa pausa. O clericalismo era antigamente o inimigo contra o qual se uniam todas as famílias da esquerda. Esse inimigo não existe mais. Nenhum partido, nenhuma igreja, nenhum movimento intelectual exige que a lei divina governe a cidade terrestre. Nenhum sequer faz referência expressamente ao céu. Todos querem situar-se em pé de igualdade com o homem. Crentes e ateus afirmam hoje o primado da liberdade subjetiva. Assustado com a "inundação democrática" de fevereiro de 1848, o bom Sr. Thiers, apesar de republicano até o fundo d'alma, ainda conferia aos párocos a missão de conter "os detestáveis professores laicos" e "propagar essa boa filosofia que ensina que o homem está aqui para sofrer". Desde então, a "inundação democrática" submergiu tudo. Aquele que acredita no céu e o que não acredita comungam na ideia de que o homem não está aqui para sofrer, mas para *se realizar*. Mais uma vez, dois grupos se enfrentam, bloco contra bloco, mas esses dois grupos falam a mesma língua. Alinham-se apaixonadamente à mesma bandeira. Não são a direita e a esquerda, o progresso e a reação, o partido da confiança no homem e o partido da tutela de Deus. Acusam-se reciprocamente de integralismo, pois ambos são laicos. Hoje existem apenas laicos na França e, de maneira mais geral, nas sociedades ocidentais. Na Polônia, onde a fé continua muito vívida, é em termos perfeitamente seculares que o *Gazeta*, o jornal criado pela dissidência, condena a proibição dos símbolos religiosos nas escolas francesas: "Como se dá que a França, pátria dos direitos humanos e berço da democracia moderna, pratique essa forma indigna de discriminação?" Mesma indignação nas elites anglo-saxônicas. Numa reunião no London City Hall, o então prefeito da cidade, Ken Livingstone (apelidado de Ken, o Vermelho, por seu passado trotskista), saiu do sério: rompendo com a grande tradição britânica do *understatement*, ele declarou que a lei francesa sobre os símbolos religiosos nas escolas públicas era "o texto legislativo mais reacionário que um Parlamento aprovou na Europa desde a Segunda Guerra Mundial"... Por que reacionário? Porque essa lei não é exatamente sacrílega, mas liberticida — responde, dessa vez, o *New York Times*. Ela não ofende a Deus, oprime os indivíduos. Em sentido inverso do antigo partido devoto, os novos cavaleiros da fé escolhem, contra toda forma de coerção, o caminho da autorização. Sua religião não é mais a religião, mas os direitos humanos. Eles não preconizam a direção sacerdotal das consciências, mas que cada consciência tenha o direito de dirigir sua própria vida. E esses indignados não perdem a menor oportunidade de denunciar o enorme escândalo. Hoje, quando um turista francês cruza um turista americano na Índia, no Peloponeso ou num estreito caminho da cordilheira dos Andes, tendo início uma conversa depois das habituais formalidades, ele logo se vê na berlinda por causa da política do seu governo em relação à comunidade muçulmana. Se ele afirma, como fazíamos nós em 1989, que "tolerar o véu islâmico não é receber um ser livre (no caso, uma moça), é abrir a porta aos que decidiram fazê-lo abaixar a cabeça", seu interlocutor retruca, cortante, que a proibição é um abuso de poder motivado por uma injustificável reação de rejeição.

Essa veemência tem suas credenciais. Ela se apoia numa filosofia que nasceu na Europa no século XVII, ou seja, antes do conflito entre a Religião e o Iluminismo. Exauridas, devastadas pelas guerras civis religiosas provocadas pelo cisma protestante, as sociedades europeias progressivamente se deram conta de que precisavam aceitar o desacordo quanto às finalidades últimas da existência para sobreviver e continuar formando um mundo comum. O pluralismo é filho do primeiro "Isto, nunca mais!" da história europeia. Foi introduzido por cansaço, e essa aclimatação se deu em dois tempos. Primeiro foi adotada a regra do *cujus regio, ejus religio*. Cada soberano decidia a religião dos súditos e ao mesmo tempo se abstinha de provocar disputas com outros monarcas. Mas a solução absolutista não tinha como sobreviver por muito tempo ao estilhaçamento da verdade absoluta numa infinidade de verdades relativas.

Àqueles que deduziam de todas as noites de São Bartolomeu europeias que "não há peste mais perigosa que a multiplicação de religiões, pois ela leva à dissensão entre vizinhos, entre pais e filhos, maridos e mulheres, entre o príncipe e seus súditos", Pierre Bayle opôs esta objeção decisiva: "Se a proliferação de religiões é prejudicial a um Estado, é-o unicamente porque uma não quer tolerar a outra, mas engolfá-la em perseguições." E o respeito da variedade de perspectivas filosóficas, religiosas e morais acabou por se impor como único modelo capaz de assegurar a paz social. A última palavra do primeiro "Isto, nunca mais!" coube, portanto, a Bayle, e a Diderot: "Se suas opiniões o autorizam a me odiar, por que minhas opiniões também não me haverão de autorizar a odiá-lo? Se você clama: sou eu que tenho a verdade ao meu lado, eu gritarei tão alto quanto você: sou eu que tenho a verdade ao meu lado; mas acrescentarei: que importa quem se engana, você ou eu, desde que haja paz entre nós? Se eu sou cego, você deverá por isso bater no rosto de um cego?"

Homem do Iluminismo por excelência, o enciclopedista Diderot lembra aqui que a modernidade não é apenas a rejeição da heteronomia, mas a relação crítica do sujeito autônomo consigo mesmo; é o indivíduo saindo do estado de minoria e ao mesmo tempo reconhecendo sua finitude. Nenhuma palavra sagrada limita o exercício de sua inteligência nem lhe dá garantias de ficar com a última palavra. Ele venceu a timidez e perdeu a invulnerabilidade conferida pelo Dogma. Ousa saber, e, a partir do momento em que não está mais em confidência com o Altíssimo, sabe-se falível. A laicidade ocidental é filha desse orgulho e dessa modéstia, da audaciosa emancipação e da sóbria tolerância. Uma sobriedade em ação no pensamento de Benjamin Constant, uma das principais figuras do liberalismo político, quando escreve: "Que a autoridade se limite a ser justa, nós cuidaremos de ser felizes." Há primazia do Justo sobre o Bem, pois tendo sido feito o luto de todo absoluto, do seu bem, cada um é juiz. Não cabe a uma instância superior, qualquer que seja, estabelecê-lo e prescrevê-lo. Nenhuma definição da vida boa deve prevalecer, nenhuma verdade deve reinar. Laico é o Estado que nos permite, no respeito das regras de direito, conduzir nossa vida como bem quisermos, como nos aprouver, à luz de nossas próprias escolhas de consciência.

Donde o fato de que, em nossa sociedade, o viver-junto seja o contrário de um viver *junto*. Não se trata de viver em uníssono, mas de um viver a distância, cada um de acordo com suas convicções, suas vontades, seus hábitos, livre dos outros e em paz com eles. Essa é a liberdade dos Modernos, esse "pacífico desfrutar da independência privada", como diz, mais uma vez, Benjamin Constant. Um tal desfrutar não se dá sem frustração nem animosidade, é bem verdade. A dispersão dos indivíduos, com efeito, está muito longe de satisfazer todas as aspirações individuais. Chega até mesmo a alimentar a nostalgia de uma modalidade de vida grupal mais rica, mais intensa, mais *convivial*. Mergulhados na anomia, sonhamos com harmonia e calor envolvente. Mas sabemos (ou deveríamos saber) que, querendo abolir a distância entre os seres e remediar a solidão da soberba pela institucionalização da fraternidade e da transparência, o comunismo não abriu aos homens o caminho do paraíso, mas construiu metodicamente o inferno na Terra: se é certo que uma sociedade da qual fosse banido o espírito de fraternidade cairia na ferocidade sem rodeios do *struggle for life*, não está menos demonstrado que as utopias fusionais estão fadadas, uma vez entrando na história, a se tornar totalitárias. Quando tudo se torna comum, as simples palavras "Você não tem nada a ver com isto!" soam como uma traição: as cortinas são rasgadas, só existe vida pública e pode ter início o reinado de *Big Brother*. E, justamente, que dizem às autoridades francesas os adversários da legislação sobre o véu? "Vocês não estão em casa em todo lugar. As escolhas religiosas não são da sua competência. Não se metam onde não são chamados!" A argumentação por eles mobilizada contra a interferência do Estado decorre diretamente de Benjamin Constant.

Na França e no exterior, portanto, a intransigência republicana enfrenta a oposição da liberdade dos Modernos. "A ideia básica que deve orientar a Administração é que o seu papel termina onde começa o que está na esfera do privado", afirmava o comissário do governo em 1993. É verdade que usar um lenço é promover a entrada do privado no espaço público. Mas, enquanto essa manifestação não for agressiva nem proselitista, permanece na esfera do privado, e o Estado "não pode se opor a esse costume em nome de uma lei que baixasse para proibir o costume".

Dez anos depois, no momento em que o Parlamento se preparava para votar a proibição, um jovem manifestante muçulmano declarava diante das câmeras: "Não estamos reivindicando nenhum privilégio, queremos que a escola reflita a sociedade tal qual." A sociedade, nada mais que a sociedade, mas a sociedade sem exceções, a sociedade em todos os seus componentes. Visivelmente movido por uma fé ardente, ele nem por isso tomava o partido do sagrado contra a laicidade, envolvendo-se, contra o sagrado laico, na bandeira do profano. Ele falava a língua das ruas, e não a do Corão. Evitava cuidadosamente apresentar-se como embaixador do além, emissário zeloso de Alá, o Misericordioso. Mandatário da vida aqui embaixo, defensor exigente dos direitos humanos e da tolerância, o fanático que havia nele tomava de empréstimo a retórica e o princípio fundador do ceticismo liberal: cada um com sua verdade. Ele não se escorava numa autoridade transcendente: deixando de lado o idioma do culto em troca do idioma da cultura, ele contestava, pelo contrário, a indébita transcendência da escola, seu privilégio de extraterritorialidade, exigindo que ela seja absorvida na resplandecente imanência do mundo real. Nenhum traço de comunitarismo, enfim, nas declarações desse manifestante. Quando ele falava da sociedade, não era de modo algum para afirmar o primado ontológico do todo sobre as partes. Decididamente antitotalitário, ele se eximia de dizer que o indivíduo devia ser subordinado à sua comunidade: queria, de mão no coração, reforçar sua independência frente ao poder do Estado.

Ferdinand Buisson e Jules Ferry não se limitariam a denunciar a hipocrisia desse discurso e de trazer à luz sua agenda holista.

Haveriam de opor-lhe uma categórica recusa liminar. A escola, diriam, não deve ser à imagem da sociedade (seja esta entendida como uma adição de comunidades ou uma associação de indivíduos), mas mantê-la a distância. O recinto escolar delimita um espaço separado, singular, irredutível. Não é um apêndice da família, um prolongamento do fórum, uma banca no mercado nem tampouco uma antena governamental. Antes de Kant e do Iluminismo, o primeiro a ter configurado esse espaço é nosso maior pensador cristão: Pascal. A vida humana, podemos ler nos *Pensamentos*, não é contínua. Nem se divide entre as duas pátrias do Céu e da Terra, como sustenta a metafísica clássica. Ela se desdobra em três registros: a ordem da carne, a ordem do espírito, a ordem da caridade: "A distância infinita dos corpos aos espíritos figura a distância infinitamente mais infinita dos espíritos à caridade, pois ela é sobrenatural." No alto da escala, a caridade dá testemunho de Deus e traz sua marca. Ela é um influxo de graça ou, como diz Léon Brunschvicg, "uma subvenção transcendente às forças da natureza em nós". Natural é o amor por si mesmo; sobrenatural, a inversão do para si em para outrem. Mas se o princípio religioso é o princípio supremo, deixou de ser hegemônico ou abrangente. A vida do espírito (aquilo que chamamos de cultura) não é da sua alçada. Tampouco tem a ver com a vida material. Ela não se resume à sensibilidade. Obedece a suas próprias leis, forja seus próprios critérios, promove seus valores e hierarquias: "Todo o brilho das grandezas da carne não tem esplendor para aqueles que estão nas buscas do espírito. A grandeza dos homens de espírito é invisível aos reis, aos ricos, aos capitães, a homens de carne."

Com a separação das ordens, Pascal dá à laicidade sua definição mais rigorosa: não só dar a César o que é de César e a Deus o que é de Deus, mas desvincular a vida do espírito da tutela religiosa, sem por isso deixá-la cair na esfera da política ou da economia. O místico Pascal é eminentemente laico, na medida em que reconhece, entre carne e caridade, a independência da ordem espiritual. Contra a velha opção que, diante do temporal, confundia espiritual e divino, ele circunscreve e seculariza o território do espírito. E esse território, escreve Péguy no momento em que se cria a escola republicana, é o território do professor: "Não é um presidente do Conselho (...), não é uma maioria que o professor deve representar na comunidade (...), ele é o único e inestimável representante dos poetas e artistas, dos filósofos e de todos os homens que fazem e mantêm a humanidade. Ele deve assegurar a representação da cultura."

Assim se expressava a laicidade há um século. Hoje, ela deixou de lado esse pathos e essa ambição. É verdade que os professores se mostram mais zelosos que nunca da sua independência, demonstrando com a regularidade de suas greves e a quantidade de suas manifestações que não são engrenagens do Estado nem, *horresco referens*, representantes do governo. Eles dão muito trabalho a todos os ministros da Educação Nacional, qualquer que seja sua política e sua tendência. Mas quantos seriam os que ainda se consideram representantes em suas classes dos poetas, artistas e filósofos que fizeram a humanidade? É bem verdade que essas classes em nada se assemelham às que tinha pela frente o professor de que fala Péguy.

Também aqui sobreveio uma mudança que rompeu o fio das gerações. O sociólogo Christian Baudelot tenta sopesar essa mudança num livro-investigação publicado no alvorecer do nosso século e intitulado *Et pourtant ils lisent...* [*E, no entanto, eles leem...*]: "A prática da leitura", escreve, "não é mais, entre os jovens, objeto de uma valorização e de uma legitimação tão fortes quanto há trinta anos. O livro deixou de ser a fonte de conhecimento e prazer que chegou a ser para alguns." As outras fontes são a televisão, os computadores, os jogos eletrônicos, os "telefones inteligentes". E esses novos suportes modificam os comportamentos dos usuários: "Fazem-se cada vez mais coisas ao mesmo tempo, e cada vez menos tempo a mesma coisa."

Lúcido, o sociólogo não deixa no entanto de preservar seu sorriso. Ele se recusa a se alinhar sob o estandarte dos órfãos de outros tempos. Não está de luto: sereno, até otimista, ele deixa as lágrimas para os nostálgicos e a nostalgia para os reacionários. E, com efeito, por que se lamentar? O fato de os livros serem já agora meios de informação e objetos de consumo como os outros, de lermos revistas e blogs na rede, em vez de obras consagradas em papel-bíblia, é uma boa notícia para uma sociedade que não se ajoelha diante de nada e que, justamente por ser laica, não quer prescrever nenhum modelo. À religião se opunha a cultura. Mas seria realmente uma oposição? Não, responde Baudelot, pois a cultura também era uma religião. Venerávamos as obras de espírito, inclinávamo-nos ante sua grandeza. Chegou a hora de dissipar essa aura e de *laicizar a própria laicidade*. Christian Baudelot pede aos últimos professores péguystas que insistem em querer garantir a representação da cultura que desistam, finalmente entrando na era secular da imanência radical.

O sociólogo pode se dar por satisfeito. Nós finalmente chegamos lá. A escola distribui a instrução a mancheias, conforme queria Gambetta. Mas é outra instrução, e uma escola diferente daquela que derivava sua razão de ser e suas regras de funcionamento da ideia pascaliana de uma humanidade em três dimensões. O velho vocábulo veste uma realidade completamente nova. Quando existia uma ordem do espírito distinta da ordem da carne e da ordem da caridade, uma sutil metamorfose se verificava na sala de aula. A criança ou o adolescente se liberava de suas pulsões, de seus afetos, de suas filiações e crenças. Não estava mais presa a si mesma, tornava-se outra ao deixar o casulo original para entrar na frieza da instituição. O teste era duro. Mas nem por isso ela ia necessariamente menos bem, como demonstra Alain em seus *Propos sur l'éducation* [Sobre educação]: "Talvez a criança seja libertada do amor por esse ambiente e esse mestre sem coração. (...) Sim, insensível às gentilezas do coração, que aqui não contam mais. Ela deve sê-lo, e o é. Aqui aparecem o verdadeiro e o justo, mas na medida certa da idade. Aqui se apaga a felicidade de existir; tudo é desde logo exterior e estranho. O humano se mostra nessa linguagem ordenada, nesse tom cantante, nesses exercícios e mesmo nessas faltas que são cerimoniais, não comprometendo o coração. Certa indiferença surge então." Indiferença salutar: é uma sorte, e não um desastre, que nem todas as relações entre os homens estejam submetidas à lei do amor. Felizmente para a humanidade, outros sentimentos são possíveis, assim como relações *a-sentimentais*. A transmissão dos conhecimentos tem tudo a perder com a confusão entre *cognitivo* e *afetivo*. "Quem ama bem, castiga bem", diz o adágio. Mas àquele que não está sob o domínio do amor é dado repreender sem sofrer nem fazer mal: "Na escola aparece a justiça, que se exime de amar e não precisa perdoar, pois nunca fica realmente ofendida. A força do mestre, quando censura, é que no instante seguinte já não pensa no assunto. E a criança bem o sabe." E por que sabe? Porque não é filha do mestre nem um dos seus "garotos", como dizem hoje os especialistas em educação, mas seu *aluno*. Na época de Allan, a camisa é que fazia um aluno e, cobrindo todos os símbolos, o introduzia no território do espírito. Eu só usei uniforme na escola primária, mas faço parte de uma das últimas gerações a se terem beneficiado com essa distinção. Ela foi espetacularmente questionada em 1968 e desde então suprimida. A ninguém ocorreria hoje restabelecê-la, embora só se fale de refundação da escola. O apagamento da realidade específica do aluno acompanha, pelo contrário, a destituição da ordem especificamente espiritual. E a própria criança muda de estatuto.

No mesmo momento em que, exceto nos últimos enclaves do elitismo republicano, os professores são convidados a dar mostra de severidade sempre menor, vale dizer, de menor exigência intelectual, e de sempre maior solicitude, ou seja, na língua de Pascal, de caridade, abolindo as notas ou preferindo a "nota de estímulo" à "nota de verdade", um novo sujeito histórico, que surgiu na cena mundial na década de 1960 do século XX, exige o que lhe é devido: o *jovem*. A juventude é, por assim dizer, uma realidade tão velha quanto a humanidade, mas o que diferencia o jovem das crianças e dos adolescentes de sempre é que ele agora tem uma realidade própria, é um ser completo, um indivíduo de pleno direito, juiz dos próprios interesses, com opiniões próprias, titular dos seus gostos e aversões, zeloso do seu idioma, de sua música, de suas opções de vestuário. Ele sabe o que lhe agrada, sabe o que não tem nada a ver, e, se acaso não souber, a turma se encarrega de instruí-lo. O mercado, além disso, ratifica seus desejos e trata de satisfazê-los com toda a consideração devida a um consumidor insaciável. Cortejado, festejado, adulado pela indústria do entretenimento, ele não se define mais pela sua incompletude. Nada lhe falta. Não pode querer ser educado: está num trono. A liberdade dos Modernos que Benjamin Constant, nisso de acordo com Kant, reservava ao adulto cabe-lhe hoje sem qualquer discussão. Voltaremos à dinâmica igualitária de que é produto o povo juvenil. Por enquanto, constatemos que a Educação Nacional toma nota de seu surgimento ao adotar um novo princípio diretor: a abertura para a vida. A vida é o aqui e agora, as novas tecnologias, o mundo sob o ângulo das necessidades: tudo que interessa ao jovem, tudo que o excita, tudo que lhe é útil, nada do que o faça sentir-se deslocado. A era dos possíveis tornou-se, para sua desgraça, a era referente. Não dizemos mais, como Alain: "A escola é um lugar admirável onde os ruídos externos não penetram. Eu gosto dessas paredes nuas." Pelo contrário, queremos, como o historiador François Durpaire e a socióloga Béatrice Mabilon-Bonfils, que os procedimentos pedagógicos levem as elites a trabalhar "com as ferramentas da vida cotidiana (tablets, smartphones)". E nos congratulamos, juntamente com François Dubet, outro sociólogo, por ver que "as paredes dos santuários ruem ante a força das demandas sociais e das reivindicações individualistas". As paredes ruem: a atualidade força as portas do templo, a liberdade dos Modernos invade os pátios de recreação e as salas de aula, o presente não se deixa mais isolar a distância, o cotidiano nunca é esquecido, as vontades da vida invadem a instituição, e a sociedade, com seus códigos, suas modas, suas marcas, seus emblemas, seus objetos-fetiche, seus sinais de vinculação e reconhecimento, se derrama na escola.

É esse, portanto, o paradoxo da nossa situação: no exato momento em que a concepção liberal da laicidade que sempre foi defendida pelos adeptos do véu triunfa sobre a laicidade republicana e seu apego à eminência da ordem espiritual, o véu é proibido. O véu fica na porta de entrada da escola aberta e dessantuarizada. Por que a vida e não o véu? Por que recusar essa ostentação quando todos têm o direito de ser o que são e de exibi-lo? Que significa essa exceção ao império do "É a minha opção"? Que motivo profundo a inspirou em nosso país? E que diz esse motivo sobre o "nós" que constituímos?

Miscigenação francesa

"A forte reação francesa contra o véu islâmico em geral não é compreendida no exterior, sendo vista como uma manifestação de intolerância e mesmo de racismo", escreve Claude Habib em seu livro *Galanterie française* [Galanteria Francesa]. "A França é o único país ocidental que encara o véu como um problema, e também o único que o proibiu na escola. Uma proibição dessa natureza deixa, portanto, a França à parte, e não falta quem queira estigmatizá-la. Essa proibição certamente não se explica pela igualdade entre homens e mulheres, que foi o critério constantemente invocado no debate público. Se a igualdade estivesse em causa, as outras sociedades democráticas, que não são menos igualitárias que a nossa, não teriam deixado de tomar uma medida análoga. A igualdade entre os sexos não deixa de preocupar igualmente a classe política no Canadá, na Holanda ou na Suécia. Os islamistas não se cansam de mostrar imagens de mulheres cobertas com véu integradas à vida ativa, atentas diante de telas, debruçadas sobre livros ou com o olho no visor de um microscópio. Reiteram constantemente que o véu não impede a participação no mundo do trabalho, e que o que certamente o impede é a exclusão das moças com véu do sistema escolar."

Essas jovens, no fim das contas, não estão menos empenhadas em se afirmar do que em se adequar a uma obrigação religiosa. Com esse pedacinho de pano, elas manifestam o seu ser, querem ser tomadas pelo que são. Sua motivação, pelo menos quando não são constantemente vigiadas, é *mostrar a que vieram*. O véu "é enrolado na cabeça num gesto em que cada um ostenta o estandarte que mais lhe agrada para existir", constata Hélé Béji, uma feminista tunisiana que nunca usou véu, e os defensores dessas sufragistas do Islã no Canadá, na Suécia, na Inglaterra e na Holanda lembram que, numa sociedade de igualdade na liberdade, cada um deve ser capaz de praticar sua fé, habitar sua diferença e publicar suas convicções sem ser incomodado ou contestado pelo Estado. É bem verdade que a laicidade republicana se diferencia da ideia de tolerância. Entretanto, prossegue Claude Habib, "se a igualdade não é um motivo plenamente convincente, a proibição do véu na escola tampouco se explica inteiramente pela laicidade. Os observadores muitas vezes frisaram que a proibição dos outros símbolos religiosos, o quipá e a cruz, tinha um caráter de falsa simetria. Era de fato o véu a que se visava, e só a ele". Donde o ressentimento de muitos muçulmanos na França. Eles se sentem estigmatizados por uma lei que lhes parece exclusivamente voltada contra o Islã. Consideram que, num país cujo calendário é pontuado pelas festas cristãs e no qual a poderosa comunidade judaica é alvo de todas as atenções, não é a religião a que se visa, mas à sua. As recentes pesquisas de opinião indicando que uma grande maioria se opõe ao uso do véu islâmico na universidade, e mesmo na rua, reforça esse sentimento. Estariam eles certos? O véu é proibido como símbolo religioso?

Eis a resposta de Claude Habib: "A proibição adquire sentido se a relacionarmos às práticas de convivência inter-racial no conjunto da sociedade. Ela se torna compreensível se a situarmos contra esse pano de fundo da tradição galante que pressupõe uma visibilidade do feminino, e mais precisamente uma visibilidade feliz, uma alegria de ser visível — aquela mesma que certas jovens muçulmanas não podem ou não querem mais ostentar." Como frisa o psicanalista Fethi Benslama em sua *Déclaration d'insoumission à l'usage des musulmans et de ceux qui ne le sont pas* [Declaração de insubordinação para o uso de muçulmanos e daqueles que não o são], o objetivo é, através do véu, ocultar "os símbolos maléficos de sedução e sedição" de que o corpo feminino é portador, segundo a versão mais ativa e combativa do Islã. Ao excluir o véu dos lugares onde se dá a transmissão, a França deixou bem claro que não podia aceitar essa ocultação nem esse tipo de acusação, ainda que algumas daquelas que constituem seu alvo as aprovassem e assumissem entusiasticamente em seu próprio nome: o fato de validar a própria diabolização não a torna mais aceitável.

É verdade que a miscigenação escolar só recentemente foi instaurada em nosso país. O que, no entanto, não significa que teríamos tolerado o véu nas escolas de meninas, pois nelas as elites eram preparadas para entrar no mundo comum, ao passo que o véu corta o mundo de uma vez por todas em dois e ordena a coexistência dos sexos pelo princípio de uma estrita separação. Essa regra surgiu à luz do dia onde menos se esperava: nos Jogos Olímpicos de Londres em 2012. O Qatar, a Arábia Saudita e o Irã impuseram duas condições, que para eles eram a mesma, para a participação de suas atletas: que pudessem disputar usando véu e que em circunstância alguma fossem misturadas aos atletas. Para não indispor esses ricos contribuintes, o Comitê Olímpico Internacional cedeu.

Foi na França que se deram os protestos mais fortes contra esse armistício. Os franceses podem acabar se alinhando aos poucos ao modelo de secularização que prevalece nos outros países europeus; a laicidade liberal de fato pode levar a melhor sobre a laicidade republicana, aqui como em outros países — o que resiste ao véu islâmico é uma maneira de ser anterior ao liberalismo cético e ao desbravador Iluminismo. A palavra "galanteria", que designa essa maneira de ser, cobria na língua clássica todo o campo da distinção e da elegância. "A galanteria é mais *plausível* quando se faz uso dela contra um inimigo. Não se há de vencer apenas pela força, mas também pela maneira", lemos na obra-prima de Baltasar Gracián, *A arte da sabedoria*. E a máxima é concluída da seguinte maneira: "Um homem de valor deve fazer questão de se comportar de tal maneira que, se a galanteria, a generosidade e a fidelidade se perderem no mundo, haverão de ser encontradas em seu coração." Nem é preciso dizer que as qualidades enumeradas por Gracián englobam a cortesia e a consideração com as mulheres: *faiblesse oblige*.

Foi David Hume quem melhor entendeu esse paradoxo fundador da arte de viver: "Os velhos, conscientes de suas enfermidades, naturalmente temem o desprezo dos jovens: por isso é que uma juventude bem-educada se prodigaliza em sinais de respeito e deferência em relação aos mais velhos. Os estrangeiros e os desconhecidos estão desprotegidos: por essa razão é que, em todas as nações polidas, recebem sinais da maior civilidade e ofertas do lugar de honra em cada companhia. (...) A galanteria nada mais é que um outro exemplo da mesma atenção generosa. Como a natureza deu ao homem superioridade sobre a mulher, conferindo-lhe maior força corporal e mental, cabe-lhe compensar o quanto possível essa vantagem pela generosidade do seu comportamento e uma benevolência e uma deferência bem claras em relação às inclinações e opiniões do belo sexo." É aí, diz-nos Hume, que reside o critério distintivo da civilização: "As nações bárbaras ostentam a superioridade do homem reduzindo as mulheres à escravidão mais abjeta:

elas são aprisionadas, espancadas, vendidas ou mortas. Ao passo que o sexo masculino numa nação polida manifesta sua autoridade de maneira mais generosa, mas não menos clara, pela civilidade, o respeito, a benevolência: numa palavra, a galanteria."

Difícil não reagir à leitura desse texto. Nós, democratas, já selamos o destino da crença na superioridade dos homens sobre as mulheres. A igualdade triunfou sobre esse preconceito. A hierarquia do masculino e do feminino, onde ainda subsiste, não se baseia mais na natureza. Sabemos que a ordem das coisas é histórica e socialmente construída. Ao contrário de Hume, estabelecemos uma cuidadosa distinção entre o sexo (categoria biológica) e o gênero (categoria cultural), desolados por vermos nossos contemporâneos mais retrógrados continuando a confundir um com o outro.

Mas não devemos nos apressar a enquadrar Hume no campo da dominação. Pois ele também escreve: "Assim como seria uma negligência imperdoável para um embaixador eximir-se de apresentar suas saudações ao soberano do Estado onde foi incumbido de residir, assim também seria absolutamente imperdoável que eu não me dirigisse com particular respeito ao belo sexo, que reina soberano no império da conversação." Ora, é na conversação, quando, segundo Montaigne, a causa da verdade é a "causa comum" de todos os interlocutores, que o pensamento se busca, se expõe e avança no contato com outras falas. Mas Hume não se limita a esse elogio. Conduzindo seu olhar além da própria ilha, ele vê com admiração o magistério das mulheres sendo exercido em todos os terrenos da vida do espírito: "Numa nação vizinha, igualmente reputada pelo bom gosto e a galanteria, as damas são de certa maneira as soberanas do mundo da erudição, além do mundo da conversação. E nenhum escritor polido tem a presunção de enfrentar o público sem a aprovação de certos juízes reputados que pertencem ao seu sexo." Essa nação vizinha é a França, a França de Madame de Rambouillet, de Madame de Lambert, de Madame de Tencin, de Madame Geoffrin, de Madame du Deffand, de Mademoiselle de Lespinasse, de Madame d'Épinay e Madame Necker, essa França dos salões a cujo respeito Edith Wharton diria, no fim da Primeira Guerra Mundial, que foi "a melhor escola de expressão e ideias que o mundo moderno conheceu", pois repousava na "crença de que não há conversa mais estimulante do que entre homens e mulheres inteligentes que se frequentam com suficiente regularidade para ter uma relação de amizade franca e fluida".

Não vamos, portanto, caricaturar Hume. Nem esqueçamos o que minúsculos rituais como dar passagem, pagar a conta e segurar a porta devem à necessidade de expiar o privilégio da força pela delicadeza do comportamento. "Todo homem de gosto e de uma certa elevação d'alma deve sentir a necessidade de pedir perdão pelo poder que detém", escreve Madame de Staël. E nem a liberalização dos costumes nem o progresso da igualdade revogaram essa modalidade do dever.

Mas a galanteria não é apenas consideração com a fragilidade. Ela é, sobretudo, tributo à feminilidade. Decorre de uma conivência quanto ao fato de que as mulheres agradam, sendo lícito, se não recomendado, prestar-lhes homenagem. O homem galante não se atira sobre as mulheres, ele se obriga a seduzi-las à moda delas, segundo as regras por elas fixadas: paquera-as *fazendo-lhes a corte*. E por sinal, embora se trate sempre de sedução, nem sempre é uma questão de paquerar. A galanteria é um clima, mais que um empreendimento, uma convenção, mais que uma conquista, uma brincadeira gratuita, mais que um comportamento interesseiro, um papel que desempenhamos, uma representação que se oferece, uma furtiva carícia verbal, um pequeno cerimonial ao qual obedecemos sem projeto definido, assim, pelo simples prazer, pela forma e nunca se sabe por quê.

Candide, que nasceu na Alemanha e, como indica seu nome, tinha o coração na boca, não conhecia esse costume. Assim, quando uma dama requintada o recebe em seu salão parisiense e lhe pergunta, após ouvir o relato de suas desventuras, se continua apaixonado pela Srta. Cunegundes de Thunder-ten-tronckh, ele responde ingenuamente a verdade, que cabe numa palavra: sim. O que resulta nessa galante reprimenda: "Você respondeu como um jovem da Vestfália; um francês teria dito: 'É verdade que amo a senhorita Cunegundes, mas ao vê-la, senhora, receio não mais amá-la.'" Esse discurso não teria sido sincero. Cândido teria mentido. Mas a bela marquesa não quer sinceridade. O que importa, no caso, é o cumprimento, e não o sentimento. E depois de tê-lo feito no lugar de Cândido, ela se mostrou tão hábil no empenho de torná-lo menos parvo que no dia seguinte ele partiu novamente em busca de Cunegundes, rubro de vergonha por tê-la traído.

Como o próprio Hume observou, essa conivência quanto ao fato de que as mulheres agradam pode inspirar outra maneira muito diferente de agir, levando ao seu aprisionamento. É até mesmo a solução escolhida pela maioria das sociedades em que o homem tem primazia. Como as mulheres são desejáveis e, pior ainda, desejantes, é preciso escondê-las, separá-las, colocá-las, como diz Usbek, o herói das *Cartas persas*, "numa feliz incapacidade de errar", subtraindo-as aos olhares concupiscentes dos homens para evitar a terrível desonra do cornudo. Cornudo: as três sílabas do riso e da vergonha. Cornudo: a infame designação que não provoca hilaridade apenas nos lugares onde grassam esses costumes opressivos, mas também nos nossos climas mais temperados. Em "cornudo", tudo é divertido: tanto o som quanto o sentido. Cornudo: o personagem cômico por excelência.

Um outro riso, contudo, ressoa em nós: o riso de Molière. Esse riso, em *Escola de mulheres*, voltou-se contra o riso fácil, o riso gregário, o riso réptil. De repente, o cômico muda de campo. Através de Chrysalde, o homem razoável da peça, Molière cobre de ridículo não a condição de cornudo, mas Arnolphe, o homem que vive com essa obsessão:

"Être avare, brutal, fourbe, méchant et lâche,
N'est rien, à votre avis, auprès de cette tâche,
Et, de quelque façon qu'on puisse avoir vécu,
*On est homme d'honneur quand on n'est point cocu."**

Escola de mulheres civiliza o conceito de honra. Não é mais o cornudo que se desonra aos olhos do público, mas o personagem que tem medo do pânico de ser cornudo. E foi no país de Molière, a partir da era clássica, a qual se definiu como era galante, que se exaltou uma arte de viver juntos e de misturar homens e mulheres sem que daí resultasse desonra. Em *O Siciliano ou o Amor pintor*, Molière bota o seguinte na boca de um jovem grego: "Não podemos deixar de reconhecer que os franceses têm algo de polido, de galante que as outras nações não têm." E Hume, no século seguinte, proclama a França "país das mulheres".

Igual constatação em Rifa'a al-Tahtawi, um dos quarenta e quatro membros da primeira missão escolar enviada à França pelo paxá do Egito para uma estada de cinco anos, entre 1826 e 1831. Em Paris, ele encontra, estupefato, uma estranha civilização em que tudo funciona

* "Ser avaro, brutal, pérfido, mau e covarde / Nada representa, em vossa opinião, ao lado dessa mácula / E como quer que tenha vivido / Sempre será honrado aquele que não for cornudo."

ao inverso, pois os homens "aceitam ordens das mulheres, sejam belas ou não". A ressalva é fundamental: a galanteria não segue a natureza, indo de encontro a ela ao optar por incluir até as feias, até as desgraciosas na homenagem ao "belo sexo". Habituado a considerar as mulheres como "mobiliário", Tahtawi de certa maneira se pergunta como é possível ser francês ao se aventurar nos "lugares da dança chamados baile". Estarrecido com o espetáculo que tem diante dos olhos, ele descreve minuciosamente sua coreografia extravagante: "O baile sempre reúne os homens e as mulheres num lugar brilhantemente iluminado e dotado de cadeiras, quase sempre destinadas às mulheres. O homem só se senta quando todas as mulheres já encontraram seu lugar. Se uma mulher entra quando não há mais assento vazio, um homem se levanta para ceder o seu, não cabendo, portanto, a uma mulher levantar-se. Em sociedade, a mulher sempre é tratada com mais consideração que o homem. Daí, ao entrar na casa de um amigo, deve-se cumprimentar a dona da casa antes do dono. Este, por mais alta que seja sua posição, fica para depois da esposa ou das mulheres da casa." E não acabaram ainda as surpresas para o viajante. Ele vê todo mundo na França cultivando a dança como uma expressão de elegância e flerte, e não de depravação. Mais incrível ainda: "Pode acontecer, no caso de uma dança, que o cavalheiro tome a dama pela cintura, embora na maior parte do tempo a fique segurando. Em suma, tocar uma mulher, qualquer que seja ela, na parte superior do corpo não é um gesto condenável entre esses cristãos." Conclusão geral de Tahtawi: "Quanto mais um homem se dirige às mulheres com amabilidade e as elogia, mais se aprecia a sua arte de viver."

Os tempos mudaram. Esse ritual caiu em desuso. Nós o encaramos com a mesma curiosidade etnológica que o jovem xeque egípcio, que reservava seus salamaleques aos homens poderosos. Nós não o fazemos mais por ninguém, pois a paixão da igualdade simplificou nossas maneiras: as boates tomaram o lugar dos bailes, o elogio das mulheres deixou de fazer parte da conversa e hoje em dia nada seria mais deslocado que uma revista como *Le Mercure galant*, ao lado de *Esprit*, *Débat* ou *Commentaire*. Não que a vida sexual e amorosa seja recalcada por uma moral pudibunda; pelo contrário, ela é objeto de todas as atenções. Mas hoje achamos que o *belo sexo* era o prêmio de consolação dado ao *segundo sexo* para que ficasse no seu devido lugar sem criar caso. É verdade que as parisienses eram exaltadas e podiam "descobrir seu rosto, sua cabeça, sua garganta, sua nuca, seus braços até os ombros" ante os olhos arregalados do xeque Tahtâwî, mas elas não eram livres. Não tinham os mesmos direitos, as mesmas responsabilidades nem as mesmas oportunidades que os homens. E, sobretudo, dependiam deles. É fato que nunca foram aprisionadas, recebiam em sua casa, saíam — mas não lhes era possível escapar dela. O culto de que eram objeto perpetuava sua subordinação. Esse período em que viviam sob a tutela daqueles que celebravam seu império ficou para trás: as mulheres tomaram seu destino nas mãos e não se deixam mais enganar.

Mas se só existe uma questão do véu na França, é porque a França não acabou completamente com a tradição galante. E por sinal é lembrada disso sem rodeios. Essa singularidade francesa acaba de ser posta na berlinda nos Estados Unidos, um dos países onde a lei proibindo o uso do véu nos estabelecimentos escolares foi mais duramente atacada, quando do caso Strauss-Khan. Dias depois do indiciamento do diretor do Fundo Monetário Internacional por agressão sexual, tentativa de estupro e sequestro, o site do *New York Times* publicava um fórum de debates com a seguinte pergunta: "As mulheres francesas são mais tolerantes? O debate está aberto. O escândalo Dominique Strauss-Khan provoca uma discussão mais ampla sobre o mau comportamento (*misconduct*) social dos homens no poder."

Em 20 de maio de 2011, Joan Scott, autora de *Politics of the veil* [A política do veú] e professora no Institute for Advanced Study de Princeton, dispara o primeiro tiro: enquanto as outras democracias condenam os desmandos dos poderosos, a França, explica ela, os tolera, os absolve e chega a transformá-los numa deliciosa prerrogativa do caráter nacional. O que em outros lugares é considerado indigno está para a cultura política francesa na esfera da arte da sedução. Uma "arte" que ela cultiva e defende com unhas e dentes: "Desde o bicentenário da Revolução Francesa", constata Joan Scott, "foram publicados muitos livros apresentando a erotização galante da diferença como uma alternativa à igualdade entre os sexos. Os adeptos dessa ideologia justificaram seus argumentos sobre a incapacidade dos muçulmanos de assimilar a cultura afirmando que o jogo erótico aberto é um componente da *Frenchness*. Que ironia que a vítima da agressão sexual supostamente cometida por DSK seja uma muçulmana!"

Joan Scott reconhece, com Claude Habib, que a França não é uma criação da Revolução Francesa. Por mais que essa nação tenha cortado a cabeça do seu rei para romper com um passado de trevas, nem todas as regras que nela prevalecem podem ser deduzidas da Declaração dos Direitos do Homem e do Cidadão. E é exatamente aí, segundo Joan Scott, que a coisa pega. O antigo regime galante sobrevive na modernidade republicana: bota-se a mulher num pedestal, faz-se o elogio do seu encanto, da sua inteligência, das suas roupas, da sua silhueta, do seu perfume, da sua beleza, da sua expressão resplandecente e, como o efeito é positivo, acredita-se que tudo é permitido. As mulheres francesas, portanto, estimulam o mau comportamento dos homens com sua complacência em vez de dar um basta. Representam docilmente o papel que a sociedade lhes atribui, no exato momento em que a teoria do gênero lhes dá a possibilidade de sair dessa e abrir novos caminhos. A maior culpa, nesse caso, incumbe às intelectuais, que, a exemplo de Claude Habib, optam por congelar as situações consagradas e glorificar os estereótipos que deveriam desconstruir, se fossem fiéis a sua missão. O que se espera delas é a demonstração *científica* de que a história está em ação quando o senso comum julga ver uma manifestação da natureza, e o lembrete *político* de que tudo que é histórico pode *ipso facto* ser revogado, remediado, remodelado. Mas elas fazem o contrário, segundo constatam, ao lado de Joan Scott, todas as pesquisadoras engajadas nos *gender studies*: esquecendo a grande lição de Simone de Beauvoir — "Ninguém nasce mulher, mas se torna" —, elas se põem a serviço da ordem falocrática ao naturalizar ou sacralizar a história. E apresentam o homem galante como aquele que exclui a utilização da força ou da intimidação em seu comércio com o outro sexo, quando na verdade seus gracejos e cumprimentos degradam as mulheres à condição de objetos.

Passados alguns dias de perplexidade e incredulidade, as feministas francesas responderam ao discurso americano. A imprensa rapidamente fez coro. Seus editorialistas, fossem de esquerda ou de direita, exortaram a um amplo exame de consciência e mesmo a uma verdadeira revolução das mentalidades. E foram ouvidos pelos legisladores. Para não deixar passar nenhuma conduta litigiosa, eles apertaram as malhas da rede, decretando que qualquer pressão, *mesmo não repetida*, "com a finalidade de obter um ato de natureza sexual" passava a constituir delito. E assim esse oximoro — um assédio que não insiste — fazia sua majestosa entrada no direito positivo.

Enquanto isso, o promotor público de Nova York suspendia a acusação, em virtude especialmente das versões contraditórias apresentadas pela queixosa a respeito dos fatos ocorridos no já agora célebre quarto 2.806 do Hotel Sofitel em Manhattan. A ação movida acabou em acordo secreto entre as partes, enquanto outro escândalo envolvendo Dominique Strauss-Khan estourava na França. Sucederam-se revelações em cascata sobre o comportamento privado do homem que queria ser presidente. Um comportamento que causa mal-estar até entre os que se mostram enojados com a indiscrição e a crueldade da máquina judiciário-midiática. Vêm à lembrança as palavras do Filósofo (no caso, Spinoza): "O indivíduo levado por uma concupiscência pessoal a ponto de nada mais ver nem fazer do que exige seu verdadeiro interesse está submetido à pior das escravidões." Mas esse arrebatamento, essa escravidão, esse descomedimento pulsional teriam alguma coisa a ver com a galanteria? Seriam o triste símbolo de um velho país de mentalidade decaída? Numa palavra, seria a França deixando à mostra seu atraso em relação à humanidade livre e realizada?

Não creio. Acredito, pelo contrário, que a crise do viver-junto questiona esse veredicto de perempção, como demonstra admiravelmente o filme *La Journée de la jupe* [O dia da saia], de Jean-Paul Lilienfeld. Sonia Bergerac ensina francês num desses colégios que se convencionou chamar de difíceis. Levada aos seus limites pela violência verbal e a permanente zombaria de certos alunos, ela surta, e, sem premeditação, toma a turma como refém. A professora fica inicialmente desconcertada quando lhe perguntam o que ela quer, pois sabe apenas o que não quer. Então lhe ocorre a ideia de exigir o estabelecimento de um dia especial no qual o Estado declararia solenemente que se pode usar saia no colégio e no liceu sem ser chamada de "puta". Trajando um terninho, a ministra do Interior pergunta: "E por que não uma noite do fio-dental?! Levamos séculos para ter direito de usar calça!"

Essa reação merece ser examinada mais detalhadamente com um breve panorama histórico. No Antigo Regime, a hierarquia social era visível a olho nu. Os nobres usavam casaco, sobretudo e os calções conhecidos como *culottes*, os quais, lembra a historiadora Christine Bard, desciam até abaixo do joelho, onde eram presos por uma liga ou fita amarrada. Com a Revolução, o povo sai da sombra e não se troca para entrar na cena histórica: aparece tal como é, e suas calças até se transformam no símbolo da igualdade dos cidadãos e da honorabilidade do trabalho. Pela primeira vez a classe inferior torna-se um modelo. Com a reação termidoriana, o prazer readquire seus direitos: os *Muscadins*, os *Incroyables* e as *Merveilleuses* respondem com uma orgia de *coquetterie* à condenação lançada contra a elegância pela luta contra o egoísmo e toda forma de secessão. Mas nunca mais se voltaria ao *culotte*. Vencido politicamente, o *sans-culottisme** triunfa no vestuário. Até mesmo a Restauração leva em conta essa vitória, e a diferença entre os sexos transforma-se, no terreno das roupas, em oposição total. O esplendor dos adornos e o refinamento do vestuário passam a ser apanágio das mulheres. A moda masculina não desaparece, mas os homens — pelo menos os civis — abrem mão das cores brilhantes e dos tecidos preciosos. Deixam de usar fitas e plumas nos chapéus. Entram na era democrática sacrificando a estética: para eles, a utilidade e a comodidade; para elas, a missão de serem belas. A beleza, com efeito, não é apenas uma *graça*: é uma *ascese*. Pressupõe toda uma série de obrigações, entraves, restrições. No século XIX, não existe *flâneuse*. O *flâneur*** é um

---

* Designação do movimento dos *sans-culottes*, as camadas populares que se rebelaram na Revolução Francesa e, apresentando-se com suas calças de listras brancas e azuis, e não com os calções curtos dos nobres, exigiam uma democracia radical e direta. (*N. T.*)

** O que passeia ociosamente, perambula sem destino pelas ruas, implicando liberdade de movimentos na vida civil. (*N. T.*)

homem. É preciso ter liberdade de movimentos para percorrer sem fim as ruas das grandes cidades e perder-se na multidão. Toda a moda feminina conspira contra essa liberdade: "Vestidos, chapéus e calçados condenam as mulheres ao sedentarismo", escreve Christine Bard.

George Sand é a primeira a se rebelar contra esses impedimentos. Aos 12 anos, ela ainda é Aurore Dupin, mas já corta os cadarços do corpete que a suplicia. Quando a obrigam a vesti-lo de novo, ela o atira num barril de vinho. Adulta, com o nome que escolheu para escapar ao destino, ela é tão capaz de usar as roupas mais femininas quando vai ao baile quanto de transgredir o decreto de 1800 proibindo o uso de trajes do outro sexo. Ao jornalista que a adverte ("Não se arrisque a se transformar em homem, pois perderia o caráter do seu sexo sem poder assumir o do outro, perecendo entre os dois"), George Sand dá esta magnífica resposta: "Não se preocupe, eu não ambiciono a dignidade do homem, pois me parece por demais risível para ser preferida ao servilismo da mulher. Mas pretendo desfrutar hoje e sempre da esplêndida independência de que vocês se julgam os únicos com direito a desfrutar."

George Sand era uma gloriosa exceção. Na segunda metade do século XX, a exceção tornou-se regra: todas as mulheres seguiram seu caminho. Chega a ser difícil acreditar, de tal maneira sua independência hoje parece natural, que em 1976 o primeiro-ministro Jacques Chirac ficasse escandalizado ao ver de calças uma de suas ministras, Alice Saunier-Seité, chegando a dizer que ela degradava sua função e a imagem da França. Algo absolutamente inconcebível no século XXI.

Daí, no filme, a perplexidade e a consternação da ministra do Interior ante a reivindicação de Sonia Bergerac. Para ela, a calça é uma liberdade arduamente conquistada. Do seu ponto de vista, poder usar calças e atuar na vida pública são a mesma coisa: ela quer existir como sujeito e não apenas no olhar dos homens. Não toleraria, assim, qualquer volta atrás. Como, aliás, Sonia Bergerac. Feminista, essa professora recusa qualquer hierarquia dos sexos. Ela precisa levar em conta um script que a história da emancipação não tinha incluído na sua agenda: existem hoje em nossas cidades territórios nos quais o uso de uma saia expõe as mulheres à reprovação e até à perseguição.

Sonia Bergerac é um personagem de ficção, bem sabemos, mas é no livro *Tableau noir. La défaite de l'école* [Quadro negro: a derrota da escola], de Iannis Roder, um professor bem real que ensina história e geografia em "zona educativa de risco", que ficamos sabendo que a mulher que se arrisca a feminilizar sua identidade é considerada "uma puta, uma vadia, uma vagabunda que merece desprezo". E esse julgamento é interiorizado pelas próprias vítimas. Alunas confessam ao professor que vestir-se como mulher é procurar problemas: "Eu só tenho minha mãe, tenho de bancar o menino, sou obrigada", diz uma delas. Obrigada, mas consentindo: "Sabe como é, senhor, eu sou uma garota de bem!" E outra, num forte elã de servilismo voluntário, ratifica o veredito sem apelo da colega: "De qualquer maneira, uma garota que usa saia é uma puta mesmo."

A saia transforma a mulher em objeto de desejo *e, portanto,* de desprezo. É essa lógica da desgraça que aproxima duas peças de vestuário à primeira vista completamente diferentes: a calça, de origem masculina, símbolo da modernidade, e o véu, símbolo da tradição reservado às mulheres. As jovens que não usam véu devem compensar essa insolência usando calça para dissimular sua feminilidade. Mas não qualquer calça, claro. Como diz uma jovem entrevistada por Christine Bard: "Até minhas calças jeans, para eles, são a mesma coisa, são femininas; mas de roupa de jogging e boné a gente não tem nenhum problema." Camuflada no disfarce masculino de um *training* sem forma, ela escapa aos insultos, pode ficar tranquila. Dessexualização ou assédio: é a alternativa que comanda sua vida.

A violência nos chamados bairros problemáticos muitas vezes é atribuída à exclusão social. A miséria gera agressividade, a discriminação produz delinquência, o desespero causado pela ausência de alternativas alimenta o ódio e inflama os subúrbios, ensina a sociologia corrente, essa nova sabedoria das nações. Claro que ela diz a verdade. Mas será que diz toda a verdade? A violência também não estaria ligada à exclusão da feminilidade e ao deserto afetivo que daí resulta? Não seria uma consequência da *negação de sensibilidade* e da proibição de ser galante imposta nesses bairros? O que torna duro e brutal é a má reputação da suavidade, é uma definição da virilidade que implica desprezo e mesmo nojo por aquelas que "querem bem", é, numa palavra, a vigilância infalível que a misoginia coletiva exerce sobre o comportamento de cada indivíduo. No documentário *La Cité du mâle* [A cidade do macho], filmado em Vitry, no lugar onde uma adolescente, Sohane, foi banhada em gasolina e queimada viva por aquele que acabava de rejeitar, vemos um jovem zombando dos "palhaços que andam de mãos dadas com uma *zinha*". Nos lugares onde esse desprezo tem valor de lei, onde a beleza física equivale a uma natureza depravada e onde toda relação amorosa representa uma ameaça à integridade masculina reina a violência.

A ideia de *La Journée de la jupe* ocorreu a Jean-Paul Lilienfeld quando via imagens das revoltas urbanas de novembro de 2005. Chamou-lhe a atenção exatamente *aquilo que ele não via*. Nenhuma mulher nessas imagens, só homens jovens de toucas ninja e ultraviolentos. Nem faixas nem cartazes, nenhuma reivindicação, nenhum slogan nem qualquer palavra de ordem, apenas a grande desordem silenciosa das perseguições na noite e dos coquetéis Molotov, o que não impediu os especialistas do movimento social de falar de um "Maio de 1968 dos bairros populares". Às barricadas erguidas pelos estudantes e à ocupação das instalações universitárias correspondiam, segundo eles, os confrontos da nova plebe com policiais e os incêndios e o saque dos prédios que simbolizavam as promessas não cumpridas da República Francesa. Mas cabe aqui lembrar: "Basta de atos, agora palavras!" Nós não tomamos a Bastilha em 1968, tomamos a palavra (e, sabe Deus, não dissemos apenas coisas inteligentes). Não nos teria ocorrido reservar exclusivamente aos homens essa fala pública inesgotável, não raro tola, às vezes feroz e aqui e ali luminosa: as mulheres estavam presentes e ativas nas "*manifs*", nos "*amphis*",* nas barricadas. Em suma, um Maio masculino é uma contradição em termos. Um vínculo tênue, mas persistente nos ligava, até mesmo, aos protocolos de outros tempos: "Jovens vermelhas cada vez mais belas", podia-se ler numa parede do saguão da faculdade de medicina. Em outras palavras, nós insistíamos em considerar as mulheres como o encanto da vida, e até na estupidez dos nossos grafites achávamos um jeito de lhes dizer. Por mais que nos tivéssemos lançado num ataque às últimas hierarquias do Velho Mundo, não queríamos sacrificar a diferença dos sexos no altar da igualdade, exatamente como Saint-Just, que, por mais exterminador que fosse, escreveu esta frase desconcertante: "Nos povos realmente livres, as mulheres são livres e adoradas."

---

* Manifestações, anfiteatros universitários onde se davam os debates. (*N. T.*)

Nada semelhante naquelas que hoje são chamadas as "*cités*":* relações de dominação, matando dois coelhos com uma só cajadada, sujeitam as mulheres e mutilam os homens. Não é tanto que o desejo seja recalcado, mas que não possa ser acompanhado de estima por aquelas que o despertam e ternura pelas que a ele cedem.

Mas Jean-Paul Lilienfeld não fecha todas as saídas. Se é verdade que a morte da professora confere um fim trágico à história, uma frágil esperança surge nas últimas imagens. Diante do seu túmulo, três jovens, até então trajando sempre roupa de jogging, comparecem vestidas de saia. Um rapaz também estava presente, como sinal de possível convívio. No mesmo espírito, mulheres dos "bairros" reivindicaram alto e bom som o direito à feminilidade, fundando no início deste século a associação Nem Putas Nem Submissas. Elas querem ter o direito, com suas roupas, sua maquiagem, sua vaidade, de contribuir para a beleza do mundo, sem serem imediatamente acusadas de tentar o diabo, pelos guardiões da virtude, e de contribuir para a dominação deles, pelos adeptos da teoria do gênero. Seria o caso de lastimar, com Claude Habib, que elas tenham escolhido um nome tão pouco galante, mas essa reserva não é nada diante da admiração provocada por sua coragem. Pois a vitória está longe de ter sido alcançada, como demonstra a experiência vivida por Élisabeth Badinter num estabelecimento de ensino do norte de Paris, o Colégio Françoise Dolto, ao qual compareceu para um debate com alunos depois da projeção do filme de Lilienfeld. Apenas algumas alunas usavam saia. Élisabeth Badinter perguntou às outras por que não o faziam. Resposta de uma delas: "As francesas podem; as árabes,

* Bairros de baixa renda com problemas de violência e marginalização nos grandes centros urbanos ou em suas proximidades. (*N. T.*)

não." Um rapaz acrescentou: "Na nossa comunidade se usa o véu, e não a saia."

O que significa esse "na nossa comunidade", a darmos crédito a Ayaan Hirsi Ali, a política holandesa de origem somaliana atualmente refugiada nos Estados Unidos, é que, "em matéria de sexo, os homens são encarados na cultura muçulmana como animais irresponsáveis que perdem todo controle quando veem uma mulher". Como não é possível amansá-los, cumpre esfriá-los e cobrir o corpo feminino dos pés à cabeça para protegê-lo dessa lubricidade. Afirma-se que o véu protege o pudor, quando na verdade reduz pornograficamente ao desejo as relações entre os sexos, e o próprio desejo a uma pulsão animal e violenta. Ao encobrir a cabeleira, que não pode ser vista por nenhum homem, senão o marido, esse pedaço de tecido informa às mulheres que sua presença é obscena, que tudo nelas e sobre elas remete à sua anatomia e que, por isso, elas representam potencialmente uma perturbação da ordem pública. O contrário do pan-erotismo galante: um pan-sexualismo opressor.

A proibição do uso de símbolos religiosos nas escolas públicas foi prolongada por uma lei proibindo encobrir o rosto em locais públicos. Já não se visava ao lenço islâmico, e sim, em vista de estarem constantemente aumentando, à burca e ao véu integral. Com que argumentos? Perante a comissão parlamentar de informação na qual fez o relato de sua visita ao Colégio Françoise Dolto, Élisabeth Badinter declarou: "O uso do véu integral é contrário ao princípio de fraternidade (...) e, além disso, ao princípio de civilidade, da relação com o outro. Usar o véu integral é se recusar a entrar em contato com o outro ou, mais exatamente, recusar a reciprocidade. A mulher vestida dessa maneira sente-se no direito de me ver e me recusa o direito de vê-la." A fraternidade e a civilidade são valores universais cujo surgimento na história é muito anterior à Declaração dos Direitos do Homem. Mas certos países, e não dos menores, se escoram exatamente nesses valores para criticar a lei francesa que criminaliza opções de vestuário e justificar os distúrbios causados por sua aplicação. Num editorial severo e mesmo virulento intitulado "The Talibans Would Applaud" ("Os talibãs aplaudiriam"), o *New York Times* convida o resto do mundo a expressar sua repulsa diante dessa violação das liberdades individuais, ainda por cima motivada pela busca nada civil de um bode expiatório para o problema do desemprego na França.

Surge então uma questão: nossos princípios só valeriam para nós? Responder que sim seria entregar à própria sorte as mulheres que, na terra do Islã, denunciam a inferioridade de sua condição contra a maioria de seus concidadãos, como no caso das Primaveras Árabes. É assim que procedem os zeladores dessas revoluções quando, para não conspurcar sua imagem, jogam um véu sobre os estupros coletivos que ocorreram em todas as grandes manifestações na Praça Tahrir. Apesar de determinada pelas melhores intenções, essa ocultação é imperdoável, pois na base da moral humanista está o fato de que nenhum oprimido nos é estranho: onde quer que ele ou ela viva, seu destino nos diz respeito. A revolta contra a injustiça transcende fronteiras. O distante maltratado pela sociedade ou pelo Estado torna-se nosso próximo. A compaixão supera a distância: nós nos colocamos no seu lugar.

E não é apenas uma questão de sentimento. A democracia moderna estabelece, com efeito, que todos temos igual direito à liberdade, qualquer que seja nosso lugar de nascimento. Ao contrário das nações do Oriente, que "sabiam que só um era livre", dos gregos e romanos, que "sabiam que vários são livres", nós sabemos, como demonstrou Hegel, que "todos são livres". Para nós, não existe exceção cultural a essa igualdade, existe apenas o escândalo político do seu confisco.

Seja como for, a experiência não é a mesma, não nos defrontamos com a mesma realidade quando vemos mulheres usando o véu ou, com mais razão ainda, o véu integral nas ruas de Cabul, do Cairo ou de Teerã e quando cruzamos com elas nas ruas ou nos mercados das nossas cidades.

No primeiro caso, *não* nos sentimos em casa e de fato não estamos em casa. Democratas, mas desiludidos de nossos empreendimentos imperialistas, recuperados da pretensão de levar ao mundo todo a boa palavra, tomamos nota da irredutível diversidade das maneiras de ser e conquistamos a sabedoria pós-hegeliana do limite. Essa sabedoria nos diz que no exterior nosso sentimento de estranheza é a norma, advertindo-nos seriamente contra toda guerra de civilização.

No segundo caso, não nos sentimos *mais* em casa, e a mesma sabedoria recusa-se a ver o uso do *niqab* ou da burca, sejam trajados sob constrangimento ou ostentados por convicção, transformando nossos costumes numa opção facultativa. E então opta pelo caminho da proibição. Caminho republicano? Não só. O Estado não se limita a defender princípios de fraternidade, laicidade e igualdade, por sinal voltados contra ele pelos partidários da autorização. Ele defende um modo de ser, uma forma de vida, um tipo de sociabilidade, em suma, arrisquemos a palavra, uma *identidade* comum.

Mas, justamente, a palavra é arriscada. Somos pagos para saber que é possível fazer da identidade o pior dos usos. Donde esta questão crucial e temível: o pior não nos está ameaçando de novo? Até onde é possível, até onde é lícito reivindicar a mobilização, para pensar o viver-junto, do conceito de identidade comum?

A vertigem da desidentificação

É no romantismo que o tema da identidade nacional aparece pela primeira vez no cenário europeu. Claro que as nações não esperaram esse momento para se afirmar, distinguir-se e se enfrentar em batalhas. Elas remontam a muito longe na história do Velho Continente. São, como escreve François Furet, "obra dos séculos e dos reis". Os séculos moldaram suas línguas e forjaram seus costumes. Os reis deram-lhes um corpo. Mas esse corpo, essa língua, esses costumes, essas fronteiras não constituíam uma identidade ou, pelo menos, ainda não eram vividos desse modo. Enquanto o viver-junto era regido pelo princípio hierárquico, os seres se definiam antes de mais nada por sua extração. O nascimento prevalecia sobre a nação. A ascendência era a afiliação determinante. No universo aristocrático, lembra Tocqueville, só se viam semelhantes nos membros da própria casta. E não havia exceções para os compatriotas. Súditos do mesmo monarca, o nobre e o servo nem por isso deixavam de estar separados por um fosso quase intransponível. Madame du Châtelet, musa de Voltaire e tradutora de Newton, despia-se sem qualquer embaraço na frente dos criados, "não tendo bem estabelecido", escreve Tocqueville, "que os empregados fossem homens". Para que surgisse à luz do dia a vinculação de todos ao mesmo passado e viesse à tona algo parecido com uma identidade comum, foi necessário que se desse, pela aproximação das condições necessárias, esse acontecimento cultural capital: a generalização do sentimento do semelhante. A identidade nacional, portanto, é filha da igualdade. E é ao mesmo tempo a resposta do romantismo político à igualdade, tal como concebida pela filosofia do Iluminismo e tal como a Revolução tentou concretizá-la.

Todos os homens são iguais: para o Iluminismo, isso significa que todos os homens *sem distinção* têm igual direito à liberdade, ou, mais precisamente, à *autonomia*, pois todos eles, enquanto homens, têm capacidade de pensar, julgar e agir por si mesmos. Mas é necessário que essa capacidade se realize e que eles deixem "a condição de menoridade em que se encontram por sua própria culpa". É precisamente essa a tarefa abraçada pelos protagonistas da Revolução. Retomando o lema do Iluminismo — "*Sapere aude!* Tenha a coragem de se valer do seu próprio entendimento!" —, eles se declararam maiores diante do mundo e dos antepassados. Quiseram reconstruir a sociedade humana com base na razão. Do passado de que vieram, decidiram emancipar-se, rechaçando-o de uma só vez para as trevas do Antigo Regime. "Nossa história não é nosso código", proclamava orgulhosamente Rabaud-Saint-Étienne, o que, traduzido em linguagem filosófica, significa: não somos mais súditos no sentido de criaturas submissas, mas sujeitos no sentido conferido à palavra pelo *cogito* cartesiano. E ele acrescentava: "Todas as instituições na França consagram a infelicidade do povo. Para torná-lo feliz, é preciso renovar, mudar suas ideias, mudar suas leis, mudar seus costumes, mudar os homens, mudar as coisas, mudar as palavras... Tudo destruir; sim, tudo destruir, pois tudo precisa ser recriado." Em outras palavras, Deus não é mais o autor das coisas. A criação é da competência do homem. Para decidir o destino do mundo, basta querer. "Dizei que a luz se faça, e a luz se fará!", entusiasma-se Boissy d'Anglas.

Eles disseram: "Que a luz se faça!", e veio o Terror, observam, apavorados, certos contemporâneos do fato. Eles quiseram a transparência e tiveram generalizada desconfiança; quiseram a felicidade do povo e tiveram a lei dos suspeitos; quiseram a igualdade na liberdade e tiveram o despotismo. Por que as coisas deram mal? O romantismo político nasceu dessa pergunta e da tentativa de apresentar como resposta uma saída para o subjetivismo desenfreado do Iluminismo. A violência revolucionária, diz, por exemplo, Edmund Burke em suas *Reflexões sobre a Revolução da França,* não é um acidente da história, mas puro produto da presunção. Ela não foi imposta pelas circunstâncias, nasceu de uma *hubris* da razão: "Os espíritos esclarecidos que julgaram de bom alvitre interromper o curso das coisas não têm o menor respeito pela sabedoria dos outros, mas em compensação evidenciam uma confiança sem limites na sua própria. Basta-lhes um só motivo para destruir uma ordem de coisas antiga, sua própria antiguidade." Esses espíritos esclarecidos se vangloriam de sacudir os velhos preconceitos, ao passo que estes são "o banco geral e o capital constituído das nações e dos séculos, e que seria muito melhor empregar a própria sagacidade para descobrir a sabedoria oculta que contêm", mas em seu combate pelas Luzes eles negligenciam as luzes do costume. Julgam estar liberando seu intelecto de um monte de velharias, quando na verdade se privam de um tesouro de inteligência. Comportam-se como demiurgos, quando deveriam "debruçar-se sobre os defeitos do Estado como se fossem feridas de um pai, com temor e estremecimento, com uma piedosa solicitude". Embriagam-se com a perspectiva de tudo mudar, ao passo que, "se a mais simples sabedoria nos recomenda a maior circunspecção quando trabalhamos com matérias inanimadas, a prudência torna-se um autêntico dever quando nossos trabalhos de demolição não têm como objeto o tijolo e a madeira, mas seres sensíveis". Pretendem arrancar os homens à sua condição de menoridade, mas, respondem Burke e os românticos, o que faz a humanidade desses seres sensíveis não é a autossuficiência, não é a capacidade de se abstrair de toda tradição, mas a afiliação, a fidelidade, a *filialidade*, a inscrição numa humanidade particular. Em outras palavras, o homem não é senhor do sentido. O sentido passa através dele. Sua subjetividade vem em segundo lugar. Ele deriva de uma fonte que o antecede e transcende. Ele vem depois, ele segue; logo, pensa. Em suma, nasce com uma dívida que não pode deixar de honrar. Anular essa dívida, recomeçar do zero para construir uma sociedade nova com indivíduos autônomos, vale dizer, reduzidos a eles mesmos, só pode levar à catástrofe. Para permanecer humano, é preciso dar mostra de *humildade*, nunca perdendo de vista que *não existe apenas o si mesmo em si*: é essa, para encerrar, a objeção identitária* oposta pelo romantismo político aos "pequenos mestres insolentes, presunçosos e tacanhos da filosofia". Essa objeção se enrijece na segunda metade do século XIX.

À declarada ambição da Revolução Francesa de estabelecer os direitos naturais do homem, Burke, que é um liberal, opõe a

* Na França de hoje, a expressão *identitaire* remete à questão da identidade nacional e aos debates suscitados, no contexto da maior impregnação da sociedade francesa pelas *outras* identidades, aportadas em especial pela imigração, com toda a série de questões apensas: costumes, culturas, valores, confrontos, assimilações (ou não), estranhezas, rejeições, violências... (*N. T.*)

vontade declarada pela revolução inglesa de garantir os direitos *herdados* dos ingleses. No mesmo momento, Joseph de Maistre exclama: "Não há homem no mundo. Na minha vida, eu vi franceses, italianos, russos, etc.; sei até, graças a Montesquieu, que é possível ser persa: quanto ao homem, contudo, declaro não tê-lo encontrado em minha vida; se existe, é à minha revelia." E Maurice Barrès, cerca de cem anos depois: "É sempre a mesma história dos direitos do homem. Que homem? Onde é que ele demora? Quando vive?" Para o escritor nacionalista e os pensadores românticos, a humanidade se escreve no plural, não passa de uma soma de identidades coletivas, atesta-se na multiplicidade de maneiras de perceber, desejar e sentir que mais tarde seriam chamadas de *culturas*, e que se desenvolvem em territórios distintos. De modo que não existe uma regra aplicável a todos os homens. O universal é um engodo, e a abstração racional, uma perigosa embriaguez da mente. Tal como seus antecessores, Barrès confere importância decisiva à história e à geografia. Nós não somos anjos, diz, somos seres situados ou, melhor dizendo, *encarnados*. Mas Barrès vai mais longe que Edmund Burke e Joseph de Maistre. Sua crítica do Iluminismo não deixa margem à indeterminação. Não se limita a rebaixar a subjetividade, aniquila-a: "O indivíduo se enfraquece para se reencontrar na família, na raça, na nação." O Iluminismo: o indivíduo *se afirma*, a nação é um contrato, "um plebiscito de todos os dias", diria Renan. Barrès: o indivíduo se enfraquece, a nação é uma comunidade orgânica que gera e molda seus filhos. O Iluminismo: o indivíduo libera-se pela razão dos seus próprios condicionamentos, assim manifestando sua qualidade de homem. Barrès: a razão não é uma, somente homens unidos pelos laços de sangue podem compartilhar a mesma mentalidade: "Nós não somos senhores dos pensamentos que nascem em nós. Eles são maneiras de reagir nas quais se traduzem disposições fisiológicas muito antigas. Em função do meio em que vivemos, elaboramos julgamentos e raciocínios." O Iluminismo, com Thomas Paine, defende "os direitos dos vivos", empenhando-se em impedir que sejam alienados ou diminuídos pela autoridade usurpada dos mortos. Barrès declara, em sentido inverso: "Eu defendo meu cemitério. Abandonei todas as minhas outras posições." Meu cemitério significa a longa linhagem de que sou produto: "Toda a sequência dos descendentes constitui um só e mesmo ser." O sentimento romântico de afiliação é assim *racializado*, e Barrès, retornando dos seus devaneios longínquos, dos seus passeios algures, confessa o "imenso prazer" de se sentir determinado por sua hereditariedade, cativo da própria origem.

A outra face desse prazer é a repugnância física e metafísica que lhe é inspirada pelo capitão Dreyfus, criatura sem vínculos, "muito diferente de nós, impermeável a todas as excitações que nos chegam da nossa terra, dos nossos ancestrais, da nossa bandeira, da palavra 'honra'". Do início ao fim do Caso, Barrès mantém-se firme: Dreyfus traiu porque, estranho na Terra, ele tem a traição no sangue. Seu crime se deduz da sua raça. Judeu, ele é Judas, conspira por natureza contra a identidade nacional.

Em 1917, Barrès, vendo tantos judeus morrendo pela pátria, acaba por aceitá-los no seio das "famílias espirituais da França". Mas já agora pouco importa Barrès. Um ano depois da sua virada, o armistício é assinado e a Alemanha, humilhada, sai em busca febril dos responsáveis pela derrota. Quem provocou a catástrofe de novembro? Quem lucra com ela? Para o cabo Hitler, não resta a menor dúvida: "Um dia, de repente, surge a desgraça", escreve ele em *Minha luta*. "Marinheiros chegaram em caminhões e incitaram a revolução, seus chefes eram um punhado de judeus.

Nenhum deles tinha combatido na frente de batalha... Seguiram-se dias terríveis e noites piores ainda... Nessas noites surgiu em mim o ódio, o ódio contra os responsáveis por esse acontecimento... Com o judeu não se pode pactuar, apenas decidir: tudo ou nada! Foi então que tomei consciência do meu verdadeiro destino. Decidi entrar para a política." Entrar para a política: em outras palavras, engajar-se numa guerra sem trégua ao inimigo mortal da raça ariana. E Hitler conduziu essa guerra de extermínio até o último segundo, quando já estava perdendo todas as outras. Ele nunca se deixou desviar de seu objetivo inicial. Assim, entre 1939 e 1945, todos os judeus de todos os países, todas as idades, todas as condições assistiram progressivamente à convergência de seus destinos. Como diz admiravelmente Marcel Cohen: "Nenhuma das particularidades que fazem com que um homem seja diferente de outro homem teve mais qualquer influência em sua vida."

Outros genocídios foram cometidos na história. A palavra é recente, mas a perseguição e dizimação de comunidades humanas é uma prática imemorial que não desapareceu — do que dão testemunho os ossários do Camboja e de Ruanda. Seria imprudente declarar que a lista está encerrada. Mas os judeus foram perseguidos até em Xangai. Contra a judiaria mundial, o empreendimento de aniquilação também se quis por sua vez planetário. Isso é que é único, como demonstrou Hannah Arendt: antes dos nazistas, ninguém nunca se tinha investido do direito de decidir quem deve e quem não deve habitar o planeta. E foram necessários o rigor e a instrução, o sentido do dever e o gosto do trabalho bem-feito de um dos povos mais evoluídos do Velho Continente para superar os obstáculos à aplicação dessa decisão radical. A civilização, então, fez causa comum com a barbárie, a máquina industrial se incumbiu do crime, a frieza da razão e o frenesi identitário construíram juntos as fábricas da morte. Esse script espantoso refuta todas as filosofias da história. Essas combinações confundem os referenciais e fazem vacilar as certezas mais sólidas. Essa violência que mobilizou as invenções mais modernas, ao mesmo tempo que recorria amplamente à crítica romântica da modernidade, deixou o pensamento desamparado e sem fôlego. Desejaríamos acreditar que não ocorreu, mas, aí está, aconteceu, sendo ao mesmo tempo inapagável e inadmissível. Como não se deixa apreender pelo conceito, o acontecimento escapa, assim, ao esquecimento. Como o enigma continua sem solução e tantos valores se veem comprometidos, ele não repousa sob a pedra tumular do passado: ele nos contempla, nos persegue e nos obseda. Não só tentamos sempre saber mais a respeito, como nos esforçamos por estabelecer entre o mundo no qual Auschwitz aconteceu e o nosso a maior distância possível, e ainda não está perto de chegar o momento em que teremos paz na alma. Pelo contrário. Como diz com toda razão Vladimir Jankélévitch, "o tempo que embota todas as coisas, o tempo que trabalha pela usura da dor como trabalha pela erosão das montanhas, o tempo que favorece o perdão e o esquecimento (...) em nada atenua a colossal hecatombe: pelo contrário, está constantemente avivando seu horror". O que significa que, com o tempo, neste caso preciso, nem tudo volta à ordem. É até mesmo o contrário que se dá: o tempo rompe a continuidade histórica e aos poucos nos introduz na era pós-hitlerista.

À pergunta "O que faz a europeidade da Europa?", o sociólogo alemão Ulrich Beck responde hoje: o cosmopolitismo. Em outras palavras, o que a Europa tem de próprio é não ter nada de próprio. Ela não se reconhece na história de que saiu, sua origem nada tem a ver com seu destino, seu destino consiste em se desvincular da sua origem, em romper consigo mesma. Concebida como a antítese da Europa que deu origem à catástrofe, ela precisa ter o cuidado de substituir a interioridade pelos procedimentos, pois quem diz "interior", diz também "exterior". Quem diz "nós", diz também "eles". Quem cultiva o calor interno, institui no mesmo movimento um lado de fora inquietante e hostil. A lembrança de Auschwitz nos ordena não botar o dedo nessa engrenagem. A sombra do extermínio plana sobre toda discriminação, e antes de mais nada sobre a mais fundamental delas: aquela que julga poder separar o Mesmo do Outro: "Se quisermos exumar a consciência original do cosmopolitismo na base do projeto europeu", escreve Ulrich Beck, "a memória coletiva do Holocausto constitui seu arquivo mais evidente."

Não é a primeira vez que a Europa critica a Europa: antes de qualquer *construção* europeia, a relação crítica consigo mesma é constitutiva da *civilização* europeia. E, muito antes de Rabaut-Saint-Étienne proclamar "Nossa história não é nosso código", os gregos fundaram a filosofia distinguindo o que está certo do que é ancestral. A Europa nasceu com o *logos*, vale dizer, quando a pergunta "Que é...?" — "Que é a coragem?", "Que é a piedade?", "Que é o bem?" — tomou o lugar da autoridade do costume. Donde a censura que temos o direito de fazer aos românticos: empenhados na defesa das virtudes da tradição contra a vertigem da ruptura, eles esqueceram a grande tradição europeia da antitradição, ou seja, da vida examinada. Como escreve Leszek Kolakowski: "Nós afirmamos nossa afiliação à cultura europeia exatamente pela nossa capacidade de manter certa distância crítica em relação a nós mesmos, de querer nos ver pelos olhos dos outros, de apreciar a tolerância na vida pública, o ceticismo no trabalho intelectual, a necessidade de confrontar todas as razões possíveis tanto nos procedimentos do direito quanto na ciência, em suma, de deixar aberto o campo da incerteza."

Mas a crítica atual se distancia dessa tradição crítica na medida em que não quer ouvir falar de afiliação. Pertencer, diz, é fazer uma triagem. A afiliação leva à exclusão. Desse modo, aos que invocam a diferença de civilização para se opor à entrada da Turquia na União Europeia, Ulrich Beck e os adeptos do cosmopolitismo respondem que a Europa não é um "clube cristão". Nem tampouco um clube descristianizado. Ela não é um clube. Não é uma comunidade de ascendência. Não é sequer uma identidade pós-nacional. Ela é a entrada dos europeus na era pós-identitária. A Europa optou por se libertar de si mesma, por se deixar, para sair de uma vez por todas dos caminhos de sua sanguinolenta história. Em suma, parece tanto menos pertinente perguntar-se se a Turquia faz parte da Europa na medida em que *a própria Europa não faz mais parte da Europa.* Ela não se deixa circunscrever no espaço que leva seu nome. O que faz da Europa a Europa, dizem hoje os porta-vozes vigilantes da consciência europeia, é o ato de arrancar, o desenraizamento e, por fim, a substituição de todas as místicas do sangue e do solo pelos direitos do homem. Eles acusam portanto a França de ter sucumbido mais uma vez ao fascínio da afiliação, ao proibir o véu islâmico na escola: "Estou decidido", afirmava Ken Livingstone, "a proteger os muçulmanos de Londres de tais restrições, que representam um passo na direção de uma forma de intolerância religiosa que a Europa, testemunha do Holocausto, jurou não repetir. (...) Os franceses acaso teriam esquecido o que aconteceu em 1940, quando se começou a estigmatizar os judeus?"

Não mais construir um coletivo sobre a destituição e a perseguição de outro: é esta, portanto, a grande promessa da Europa pós-hitlerista. Desse modo, no momento de ilustrar as cédulas da moeda única, a escolha, conforme observou Régis Debray, volta-se para imagens de síntese, representando pontes. Pontes, e não símbolos nacionais. Pontes, e não retratos, construções ou paisagens. Pontes para esconjurar os malefícios da autoctonia. Pontes para fugir das determinações. Pontes para substituir os muros. Pontes para acabar com o reinado funesto da fronteira. Pontes para dizer que a Europa não é um *lugar*, mas um elo, uma passagem, uma passarela e que, longe de encarnar uma civilização particular, ela se eleva acima de todos os particularismos.

Há, portanto, os demônios da identidade. Mas há também os demônios do universal. Cabe aos europeus outra vigilância, pois um outro episódio assombra sua memória dolorida: a colonização. Em 1789, em Iena, numa conferência intitulada *Que é a história universal e por que a estudamos?*, Schiller postulava, como se fosse uma evidência, que "os povos descobertos pelos navegadores são como crianças de diferentes idades ao redor de um adulto". Dessa gloriosa identificação à humanidade *desenvolvida*, o Ocidente deduziu um século depois que tinha uma missão educativa a cumprir em relação aos povos imaturos. Missão assumida na França por Jules Ferry e justificada por Léon Blum em linguagem perfeitamente schilleriana: "Nós reconhecemos o direito e mesmo o dever do que chamamos de raças superiores de atrair para si aquelas que não chegaram ao mesmo grau de cultura e chamá-las para os progressos realizados graças aos esforços da ciência e da indústria."

Depois da vitória sobre Hitler, vale dizer, sobre a doutrina da desigualdade das raças, aqueles que foram chamados de "condenados da terra" por Frantz Fanon desfecharam um golpe mortal contra essa boa consciência. "O desenvolvimento que alcançaram não os transforma em vanguarda da humanidade. Ele foi utilizado para seus objetivos predadores. Vocês reinaram sobre o mundo. Mas esse reinado chegou ao fim": eis o que eles comunicaram, de armas em punho, aos missionários da colonização. A mensagem foi ouvida. A Europa pós-colonial é uma Europa que recobrou a sobriedade e jurou nunca mais tocar numa garrafa. Assim, não permite mais que reste uma única gota de álcool universalista no seu cosmopolitismo atual. Chegou o momento de a Europa não ser mais judia, grega, romana, moderna nem *nada*. "Não existe um ser europeu", já dizia Julien Benda em 1933. Mas essa afirmação ainda é gloriosa demais, pois pretende definir pela ruptura com a ordem carnal a *superioridade* do espírito europeu. Dois pensadores contemporâneos, portanto, desviam o idealismo de Benda na direção da abnegação: o sociólogo alemão Ulrich Beck, ao dizer que a Europa está fadada por sua "vacuidade substancial" a uma "abertura radical"; e o filósofo francês Jean-Marc Ferry, ao definir a identidade europeia como a "disposição a se abrir para outras identidades". Exatamente o contrário de uma identidade fechada e voltada sobre sua herança, mas também de uma identidade conquistadora imbuída de suas virtudes civilizatórias. Nem um fundo espiritual ou um patrimônio a proteger; portanto, nem um modelo a propagar. O exclusivismo e o hegemonismo surgem, uma vez engolida a vergonha, como as duas grandes patologias da Europa, as duas maneiras que ela encontrou para se esquecer de si naquilo que julgava ser. Para se corrigir, diz-nos desta vez o filósofo italiano Gianni Vattimo, ela precisa abrir mão de toda imagem de si mesma e passar "do universalismo à hospitalidade". E é muito naturalmente pelo diálogo inter-religioso que Vattimo ilustra esse ideal redentor: "O cristianismo se liberta de sua cumplicidade com os ideais imperialistas da modernidade cristã após uma dura experiência histórica, a experiência da revolta dos povos das antigas colônias, que também se insurgem contra seus dominadores 'cristãos' em nome de uma interpretação mais autêntica da mensagem evangélica." Nesse novo movimento, a identidade do cristão deve concretizar-se na forma da hospitalidade, ou seja, segundo Vattimo, "reduzir-se quase totalmente a ouvir seus hóspedes e dar-lhes a palavra".

Em 2005, como quem não quer nada, parlamentares franceses se julgaram no direito de exigir por via legislativa que currículos escolares frisassem o papel positivo da presença francesa além-mar, especialmente na África do Norte. A iniciativa fracassou. A reação do mundo docente foi tão hostil que, mal chegou a ser aprovado, o artigo de lei foi revogado, pois a França é à imagem da Europa, e a Europa deixou de acreditar em sua vocação passada, presente ou futura de guiar a humanidade para a realização de sua essência. Para ela, não se trata mais de *converter* quem quer que seja — conversão religiosa ou reabsorção da diversidade das culturas na catolicidade do Iluminismo —, mas de *reconhecer* o outro através do reconhecimento dos males que lhe causou. De maneira mais genérica, cabe-lhe acolher o que não é ela deixando de se identificar com o que ela é. No fim do século XX, seus sábios não tomam o partido da *Aufklärung* contra o romantismo, mas preconizam esse remédio de cavalo contra todas as formas de *hubris*: o *romantismo pelo outro*. Se a Europa deve se desnacionalizar e aproveitar para abrir mão de todo predicado identitário, é para que possam desenvolver-se livremente as identidades maltratadas por sua história. E essa oblação, acrescenta Alain Badiou, é a sua libertação; essa apostasia é sua saída das trevas: "Que os estrangeiros nos ensinem pelo menos a nos tornarmos estranhos a nós mesmos, a nos projetarmos fora de nós mesmos, o suficiente para não sermos mais cativos dessa longa história ocidental e branca que chega ao fim e da qual já não podemos esperar senão esterilidade e morte. Contra essa expectativa catastrofista, securitária e niilista, saudemos a estranheza do amanhecer." Para que o dia finalmente nasça, é preciso, portanto, deixar de considerar a imigração de povoamento como uma ameaça, um desafio ou um problema, passando a ver nela a oportunidade de uma redenção e eliminando todas as leis que a limitem. A França, a Europa, o Ocidente pecaram muito ao pretender chamar o Outro à razão: pois agora têm a oportunidade de se purificar pelo Outro, de si mesmos e da culpa do seu passado. Robinson, sugere aqui Badiou, não é mais senhor do mundo nem mesmo soberano em seu reino. Não está mais condenado à dominação: Sexta-Feira o destitui e, com isso, o salva.

Aos pensamentos e paixões xenófobos, Badiou — como Vattimo — opõe o que o filósofo inglês Roger Scruton chama de *oikofobia*: o ódio à casa natal e a vontade de se desfazer de todo o mobiliário que ela acumulou ao longo dos séculos. E essa rejeição não é um capricho de filósofo. A burocracia faz coro. Os próprios guardiões da casa são *oikófobos*. Em 2011, foi distribuída nas escolas da União Europeia uma agenda na qual constavam todas as festas religiosas, com a notável exceção das cristãs. Essa ausência causou escândalo. Os responsáveis imediatamente se comprometeram a corrigir o esquecimento. Mas se aproxima o dia em que, para não ofender ninguém, as festas de Natal passarão a ser chamadas, no discurso oficial, de "festas de fim de ano" ou, de maneira mais poética, "festas da chegada do inverno".

As elites da Europa pós-hitlerista e pós-colonial encaram, portanto, de maneira contrastada o conceito de identidade. O debate sobre a identidade nacional lançado em novembro de 2009 pelo governo francês causou indignação no mundo intelectual. E isso apesar das precauções ideológicas das autoridades, apesar da sua rendição incondicional à *doxa* do dia. "A França não é um povo, nem uma língua, nem um território, nem uma religião, mas um conglomerado de povos que querem viver juntos. Não existem raízes francesas, apenas uma França de mestiçagem", declarou em 5 de janeiro de 2010 o ministro da Imigração, da Integração, da Identidade Nacional e do Desenvolvimento Solidário, Éric Besson. Falando em La Courneuve, cidade em que a proporção de jovens de origem africana e magrebina passa de 60%, e além do mais empenhada em atenuar o impacto desastroso de um ministério calcado no modelo orwelliano do Ministério do Amor, ele assumia uma posição exatamente oposta à definição lançada um dia pelo general de Gaulle: "Nós somos apesar de tudo um povo europeu de raça branca, de cultura grega e latina e religião cristã." Essa refutação implícita, mas categórica, daquele que ainda é a referência suprema da direita no poder, e que justificava dessa maneira a separação entre a Argélia e a França, não foi lembrada em favor do infeliz ministro, pois a identidade nacional, ainda que cuidadosamente esvaziada, depurada de todas as suas qualidades distintivas e composta de um catálogo de negações, ainda era demais. A própria palavra, essa palavra rançosa, bolorenta, fatal, não tinha desaparecido. Quarenta mil cidadãos indignados assinaram então uma petição — *Nós não debateremos* — acompanhada de um artigo solene no qual se lia: "Pela primeira vez desde 1944-1945 se enuncia na cúpula da República a ideologia da direita extrema, a que esteve no poder com Philippe Pétain no regime de Vichy, essa direita ao mesmo tempo maurrassiana, orleanista e elitista que nunca tinha admitido a democracia liberal e que vivenciou sua divina surpresa." A acusação era grave, mas deu certo. Diante da indignação dos *oikófobos*, o governo teve de ceder e, envergonhado, engavetar seu grande debate, apenas três meses depois de um lançamento espetacular.

O vento da revolta também soprou contra a decisão de criar uma Casa da História da França, não obstante os esclarecimentos tranquilizadores fornecidos em 2011 pelo ministro da Cultura: trata-se de uma casa "que terá como ambição tornar acessíveis todas as facetas da nossa história: suas sombras e suas luzes, seus grandes nomes e seus desconhecidos, suas vias obrigatórias e seus caminhos alternativos. Ela será um lugar em que o passado vive em contato com a modernidade, aberto aos debates, aos convites, aos encontros". *Aberto* é a palavra-chave, mas essa palavra não bastou. Apoiado por grande número de colegas, o historiador Vincent Duclert, autor de uma magistral biografia de Alfred Dreyfus, respondeu ao ministro: "Não é de uma 'Casa da História da França' que este país precisa, mas de um 'museu da história *na* França'." Com efeito, tudo muda com essa passagem à letra minúscula e essa mudança de preposição. A França não ocupa mais o quadro. Ela se transforma na moldura. Não é mais um singular coletivo, o substrato de uma aventura ou de um destino, mas um receptáculo de histórias múltiplas. Neutralizar a identidade doméstica, essa quimera assassina, em proveito das diversidades diaspóricas e minoritárias; abrir espaço, desenfatuando a nação de si mesma, para todas as afiliações e orientações (religiosas, étnicas, regionais, sexuais) marcadas pela diferença: é o caminho que se impõe se quisermos promover a diversidade e assim cumprir o que é, para o filósofo Alain Renaut, como para Vincent Duclert, a "ardente obrigação" das sociedades democráticas contemporâneas.

Como se deu a alternância de poder na França, essa objeção foi ouvida. Para deixar bem claro que tínhamos entrado numa nova era e que se respirava melhor, o governo optou por abandonar um projeto poluído desde a origem pelo tema da identidade nacional. E não se preocupou com sutilezas gramaticais, nem *em*, nem *de*: "Fim da Casa da História da França", anunciava o jornal *Le Monde*, com evidente satisfação.

O rompimento com Barrès é, portanto, total. Não se pode mais ler um certo mal-estar o elogio do plátano que ele bota na boca de Taine em *Les Déracinés*: "Essa árvore é a imagem expressiva de uma bela existência. Ela não conhece a imobilidade. Sua jovem força criadora desde o início fixava seu destino, e ela constantemente se movimenta nele. (...) Em ética, sobretudo, eu o considero meu mestre (...). Essa massa poderosa de verde obedece a uma razão secreta, à mais sublime filosofia, que é a aceitação das necessidades da vida." A essa duvidosa lição de coisas e de homens, nosso tempo opõe a constatação feita pelo historiador Lucien Febvre num livro esquecido durante sessenta anos, e agora publicado, em momento oportuno, sob o título *Nós somos mestiços. Manual de história da civilização francesa*: "Não havia plátanos na França antes do século XVI. Até em Roma, em 1534, Rabelais, tão curioso de novidades, encontrou um único, recém-

-importado da Ásia Menor: *Unicam platanum vidi.*" Também apareceram tarde o cedro, a acácia, o eucalipto, o castanheiro-da-índia: "Essa bela árvore não foi naturalizada francesa nem há três séculos." Em suma, conclui Lucien Febvre: "Todo pomar na França é uma espécie de jardim de aclimatação em miniatura. Faltam apenas as etiquetas. Elas diriam, em mais da metade dos casos: 'Planta estrangeira, originária da Ásia, ou da África, ou da América. Implantada no tempo das cruzadas ou, com maior frequência ainda, importada da América depois da descoberta.'" Certamente há então uma lição a ser extraída da árvore, mas não é que uma identidade nacional se enraíza nas profundezas da terra e se desenvolve como um organismo vegetal, mas que — "empréstimos, sempre empréstimos, por toda parte empréstimos" — aquilo que nos constitui nos chega de outros lugares. Para erradicar o vírus do nacionalismo, o grande historiador não nos convida apenas a nos tornarmos estranhos a nós mesmos, quer também mostrar-nos, com a ajuda das belas paisagens francesas, que sempre o fomos. E a arqueologia contemporânea completa a demonstração. A darmos crédito a Jean-Paul Demoule, professor de proto-história europeia: "É preciso parar de achar que existiria uma 'França eterna', de identidade imóvel, que seria abalada pela chegada recente de populações externas. Na longa duração, as coisas são vistas de outra maneira, a história é um lento contínuo de combinações, uma recomposição permanente." Os historiadores e os proto-historiadores nos exortam, portanto, a não confiar em nossos sentidos, mas em sua ciência. Com o necessário recuo, nós descobrimos que o que acontece não acontece e que aquilo que nos parece um acontecimento considerável é um fenômeno imemorial. Ficamos sabendo que não é a França que vem do fundo do tempo, como queria, depois de Péguy, o general de Gaulle, mas a combinação de populações. Conclusão: a mudança demográfica não afeta a identidade da nação, pois a única identidade dela é essa perpétua mudança. Assim termina a grande lição de alteridade: depois de nos termos inclinado diante do *outro que não nós mesmos*, eis-nos agora levados a descobrir *o outro que nós somos*. Depois de passar no teste da *oikofobia*, somos convidados numa segunda etapa a nos reconciliar com uma herança mestiça de parte a parte.

Em 2009, visitei a escola primária da rue des Récollets, em Paris, onde estudei. No saguão, um grande mapa do mundo pendurado na parede, com muitas fotografias de alunos afixadas, em sua maioria, nos países do continente africano. Embaixo do mapa, esta legenda: "Eu me orgulho de vir de...". Eu tive então uma ideia da mudança ocorrida. Meus pais nasceram na Polônia, conheceram-se depois da guerra na França — para onde meu pai tinha emigrado na década de 1930, antes de ser deportado —, e todos nós fomos naturalizados quando eu tinha 1 ano. Nunca a escola me envergonhou de minhas origens. Nunca pediu que renegasse minha genealogia. Como tampouco nunca me convidou a me prevalecer dela. Ela pedia que eu me mostrasse atento, que aprendesse as lições, que fizesse os deveres e me classificava em função do meu mérito. A origem não era uma questão. Os filhos de imigrantes poloneses, os filhos-família e os filhos do povo não eram igualmente representados no recinto escolar. Tampouco tinham a mesma bagagem cultural. Os filhos-família, por definição, eram mais bem aquinhoados. Frequentavam teatros e museus desde mais cedo e com mais assiduidade que os outros. Além dessa prática do lazer, tudo ao seu redor — livros e pais — contribuía para enriquecer seu vocabulário. Mas a República acolhia os herdeiros, os bolsistas e os franceses de data recente no mesmo recinto. Iniciados ou profanos, nós compartilhávamos a França. E não era apenas uma questão de passaporte: qualquer que fosse o meio em que crescíamos, a língua, a literatura, a geografia e a história francesas tornavam-se nossas na escola e pela escola. "A República una e indivisível é o nosso reino da França." Indiferente aos destinos e às culturas minoritários, esse ensino nem por isso era chauvinista. Nossos professores não nos acenavam com fantasmas. Não cantavam loas à universalidade da França nem à singularidade do gênio francês. Eles não cantavam. Falavam, e em prosa. O império desmoronava, a colaboração tinha desonrado a direita nacional: apesar de de Gaulle, a época não era mais de lirismo mobilizador. E ainda não era de "vacuidade substancial". Desde então, o remorso alçou voo, botando no pelourinho o conceito de raízes francesas e levando ao pináculo o "orgulho de vir de...". O enraizamento de uns é considerado suspeito, e seu orgulho genealógico, "nauseabundo", enquanto outros são convidados a celebrar suas origens e a cultivar sua alteridade. Aqui, denuncia-se ao mesmo tempo um privilégio exorbitante e uma fantasia mortífera; ali, estimula-se ardorosamente o senso da continuidade e da fidelidade às próprias raízes. O que distingue o de dentro do de fora é *desconstruído* ("Eu é um outro", a própria árvore do Sr. Taine é uma imigrante, e nossa identidade é feita apenas de diferenças, repetem ininterruptamente as mais altas autoridades intelectuais). O que distingue o de fora do de dentro é *aplaudido*. Sob o prisma do romantismo pelo outro, a nova norma social da diversidade desenha uma França em que a origem só tem direito de cidade se for exótica e onde só uma identidade é considerada irreal: a identidade nacional. Referindo-se a um colegial chamado Joubert ou Poincaré, os colegas, espantados e vagamente compadecidos, dizem hoje que "nem tem uma origem". E quando um militante da ACLEFEU,* associação criada depois das revoltas de 2005, se declara francês, logo trata de esclarecer: "Eu não sou um francês da imigração, sou um francês que faz parte da diversidade francesa." Essa declaração não significa que ele combina várias afiliações, mas que a França, nele, não é aquilo que ele é convidado a se tornar, mas o que já é. Não é o quadro que lhe é mostrado e oferecido nestes versos de Paul-Jean Toulet:

> *"Ô France, et vous Île-de-France,*
> *Fleurs de pourpre, fruits d'or,*
> *L'été lorsque tout dort*
> *Pas légers dans le corridor."***

É o *presente* de si mesmo que ele oferece ao país onde vive. A carga afetiva que outrora recaía na comunidade nacional reflui sobre ele próprio e o que ele chama com frequência cada vez maior de irmãos ou irmãs. A França tende assim a se transformar em *auberge espagnole*,*** e as palavras de assimilação ou mesmo de integração perdem toda pertinência. A sociedade agora precisa ser *inclusiva*. O secretário-geral do Coletivo Contra a Islamofobia na França ofereceu uma versão ainda mais radical desse paradigma

---

* Association Collectif Liberté, Égalité, Fraternité, Ensemble, Unis (Associação Coletivo Liberdade, Igualdade, Fraternidade, Juntos, Unidos), fundada depois das chamadas revoltas sociais ocorridas em subúrbios pobres da França em 2005 para representar a voz dessas populações desfavorecidas junto às instituições. (*N. T.*)

** Ó França, e tu, Île-de-France / Flores púrpura, frutos dourados / No verão, quando tudo dorme / Passos leves no corredor.

*** Albergue espanhol: locução nominal indicando uma hospedaria onde os hóspedes comem o que trouxerem, mas também uma ideia meio vazia à qual cada um confere o sentido que quiser. (*N. T.*)

que o militante da ACLEFEU. Declarou ele em 2011: "Neste país, ninguém tem o direito de definir por nós o que é a identidade francesa." Emmanuel Levinas afirmava havia tempo que Maurice Blanchot fora para ele "como que a própria expressão da excelência francesa; não tanto por causa das ideias, mas por causa de certa possibilidade de dizer as coisas, muito difícil de imitar, e parecendo uma força muito elevada". Essa admiração não vigora mais. Pela primeira vez na história da imigração, aquele que é recebido recusa ao que recebe, qualquer que seja ele, a faculdade de encarnar o país de acolhida. E em 2012 o Coletivo Contra a Islamofobia lançou uma grande campanha de sensibilização com este slogan que não deixa margem a equívoco: "A nação somos nós." Embora não sobre nem mesmo uma cadeira extra para ela nesse chamado "nós" da diversidade, a opinião esclarecida se congratulou pelo êxito da operação, pois, já senhora dos ensinamentos da história, ela quer enfrentar dignamente a nova realidade multicultural. Mas a dignidade levada até a negação de si mesma não se transforma em seu contrário?

A lição de Claude Lévi-Strauss

Em 2005, foi publicado um relatório preparado por dez inspetores--gerais da Educação Nacional sobre os símbolos e manifestações de afiliação religiosa nos estabelecimentos escolares. O estudo revelava que um "fenômeno de grandeza bem diferente" da mera questão do véu afetava os chamados bairros problemáticos. Dava conta em particular das crescentes dificuldades encontradas na própria prática do ensino pelos professores de letras ou filosofia. Ficávamos sabendo por ele, por exemplo, que o Iluminismo e seus representantes são muito malvistos: "Rousseau é contrário à minha religião", declara um aluno de um liceu profissional, e, unindo o gesto à palavra, ele abandona a sala de aula. *Tartufo*, de Molière, também é um alvo privilegiado: recusa a estudar ou representar a peça, boicote ou perturbação de uma representação. *Madame Bovary* é considerado perigosamente favorável à liberdade da mulher: "Em certos bairros", escrevem os autores do relatório, "os alunos são incitados a desconfiar de tudo que os professores propõem, que deve antes de mais nada ser objeto de suspeita, e também do que encontram na cantina em seu prato; e são mobilizados no sentido de fazer uma triagem dos textos estudados em função das mesmas categorias religiosas do *halal* (autorizado) e do *haram* (proibido)."

E o ensino mais litigioso, mais transgressivo, menos *halal* hoje em dia é o da história. Por mais que esse ensino abra cada vez mais a história da França para fora, para que os alunos vindos da imigração "se identifiquem", segundo a expressão do secretário-geral da Associação dos Professores de História e Geografia, não deixa de haver acusações de que ele veicula uma ideologia parcial e mentirosa. Outro relatório, mais recente, o já mencionado relatório do Alto Conselho para a Integração, resume a situação nos seguintes termos: "Para gerações de filhos de imigrantes, o questionamento da história não chegou a se colocar. A conhecida expressão 'nossos antepassados, os gauleses', hoje considerada assimiladora, era considerada uma maneira de integrar alunos provenientes de países diferentes numa mesma história. Acontece que há vários anos, em número cada vez maior de estabelecimentos, os cursos de história dão lugar a contestações, confrontos e concorrência de memórias particulares que dão testemunho da recusa de compartilhar uma história comum. (...) Três questões provocam situações de tensão em certos estabelecimentos: o ensino do fato religioso;* o extermínio dos judeus da Europa; o Oriente Médio (o conflito palestino-israelense). (...) A visão de mundo que parece interferir é binária: de um lado, os oprimidos, vítimas do imperialismo dos ocidentais, e isso desde os tempos mais recuados, e do outro os opressores, os europeus e os americanos brancos

* Na França, Estado laico, foi adotado um sistema de ensino não confessional dos "fatos religiosos", inseridos, como outros fatos sociais e culturais, em disciplinas como história, letras e filosofia, com ênfase em conhecimentos objetivos e verificados do fenômeno religioso, à parte qualquer interiorização de uma visão de fé. (*N. T.*)

saqueadores dos países do Terceiro Mundo. Essa visão fantasista serve de explicação para a história do mundo e de justificação para os fracassos pessoais."

Em *L'Irrévolution* [A irrevolução], romance publicado em 1971, Pascal Lainé conta a história de um jovem professor de filosofia que não podia ser mais parecido com ele. Ele é politizado, vale dizer — não podemos esquecer 1968 —, contestador. Nomeado para seu primeiro posto no liceu técnico de uma pequena cidade do norte da França, ele se depara com a "exasperante docilidade" dos alunos. Eles são bem-comportados como imagens fixas, quando ele os desejaria irrequietos e até rebeldes. São passivos, maleáveis, embora ele desejasse tanto vê-los revoltados: "Eles chegam até a tomar notas da minha encheção de linguiça; tomar notas é a única coisa de que não abrem mão! Acontece que é exatamente isso que importa: conseguir que eles parem de tomar notas e também que me contestem. Essas notas que eles tomam; que anotem indiferentemente qualquer tolice que me passa pela cabeça: é essa a marca, o sinal combinado, é a aceitação da sujeição. Que fazer para que eles se revoltem contra mim? Somente se revoltando contra mim é que eles poderão aprender algo sobre mim."

Como essa lamentação (que também chegou a ser a minha) nos parece hoje distante e luxuosa! Não temos mais como assumir a indignação do adulto mimado que acha, com Mao, que sempre temos motivos de nos revoltar e que sonha, com Foucault, com um adeus à idade disciplinar. O grande problema contemporâneo não é a docilidade da recepção, mas a brutalidade da recusa liminar oposta aos conteúdos do ensino por um número cada vez maior de alunos. Não é a apatia, mas a agressividade. Não é a ausência de espírito crítico, mas a crítica ignorante da cultura escolar. Até os professores que, na linhagem de Fanon, Badiou e Vattimo, consideram que o Ocidente é o grande culpado sofrem com essa situação. Os mais engajados conseguem aguentar o choque. Não se deixam abater. Encarando a situação de maneira estoica, eles dizem que a raiva de que são testemunhas e às vezes vítimas não deve ser estigmatizada em nome da laicidade, mas entendida em termos políticos, ou seja, laicos, como um ato de resistência à grande injustiça global que grassa em Gaza e também nos subúrbios. Assim é que eles superam a perturbação inicial e se mantêm solidários daqueles que, em sua concepção da história, são ditos *dominados*. Esse nome não pode sob pretexto algum ser conspurcado. De modo que, em qualquer circunstância, eles optam pela empatia, a exemplo do escritor Salim Bachi, que, a pedido de um grande diário francês, entrou na cabeça de Mohamed Merah* e conseguiu a proeza de botar na boca desse assassino a fala patética de uma criança perdida: "Entreguem-me as suas bombas e eu lhes entregarei a pistola com a qual matei essas crianças para vingar outras crianças mortas por paraquedistas israelenses ou franceses é a mesma coisa para quem vê daqui do buraco sem fundo onde estamos." Entretanto, como demonstram os relatórios que se acumulam nos gabinetes dos diferentes governos, é cada vez maior o número de professores que, apesar de atormentados pela consciência pesada e preparados por seus referenciais intelectuais para desconstruir a cultura dominante, se recusam a corroborar a obstinada hostilidade de que essa cultura é alvo. Da submissão à contestação, passando pela indiferença, eles tinham previsto

* Francês muçulmano de origem argelina, 23 anos, que em março de 2012 matou sete pessoas — entre elas soldados franceses muçulmanos e crianças judias — em atentados terroristas em Toulouse e Montauban, sendo afinal morto em perseguição pela polícia. (*N. T.*)

todas as hipóteses, exceto a de uma indignação indigna, de um ódio obsceno, de uma revolta mais revoltante que a ordem que denuncia. Não previram que sua profissão viesse a se tornar um "esporte de combate", segundo expressão de um deles, entrevistado na televisão depois de ser espancado por um aluno de origem marroquina que se sentiu insultado por sua aula sobre o fato religioso desde 1880. Essa perplexidade e essa desorientação ainda não encontraram o seu romancista.

Na época de *L'Irrévolution*, o povo vivia nos bairros populares e seus filhos entravam para o ensino profissionalizante ou seguiam os cursos técnicos no liceu. Na era da diversidade, o povo se divide em dois componentes que se distanciam dramaticamente um do outro. Os franceses que ninguém mais ousa dizer "de raiz" e os franceses de origem estrangeira que tinham jogado o jogo da assimilação se instalam nas zonas rurais ou periurbanas. Eles viviam "do outro lado da perimetral",* pois agora vivem do outro lado do subúrbio. Em seu livro *Fractures françaises* [Fraturas francesas], o geógrafo Christophe Guilluy explica esse *separatismo de baixo* pelo fato de que, com a passagem de uma imigração de trabalho a uma imigração de família, os autóctones perderam a condição de referente cultural que tinham nos períodos anteriores da imigração. Deixaram de dar as cartas. Quando o cybercafé se chama "Bled.com"**e o açougue ou a lanchonete fast-food ou os

* Referência à avenida "periférica" que passa pelos limites urbanos de Paris e outras grandes cidades francesas. (*N. T.*)

** Bled: palavra de origem árabe que designa no norte da África uma região rural isolada e que passou a designar na França o modesto local de origem de alguém ou um país estrangeiro. (*N. T.*)

dois são *halal*, esses sedentários têm a experiência desconcertante do exílio. Quando assistem à proliferação de conversões ao islã, perguntam-se onde estão vivendo. Não saíram do lugar, mas tudo mudou ao seu redor. Têm medo do estrangeiro? Estariam fechados ao Outro? Não, sentem que estão se tornando estranhos em sua própria terra. Eles encarnavam a norma, e agora estão à margem. Eram a maioria num ambiente conhecido; ei-los minoritários num espaço cujo controle perderam. É a essa situação que reagem ao optar por viver em outro lugar. É para não serem novamente expostos a ela que em geral se mostram hostis à construção de conjuntos habitacionais nos municípios onde se domiciliaram. Quanto mais aumenta a imigração, mais se fragmenta o território. Há muito se sabe que os ricos mantêm os pobres a distância e que o aburguesamento e mesmo o simples acesso à classe média se traduzem quase sempre numa mudança de endereço. Mas eis que pobres — operários, empregados, trabalhadores precários, assalariados em tempo parcial — se afastam de outros pobres. E ao mesmo tempo deixam o caminho político que até então percorriam: com a sensação de que a esquerda não leva em conta seu mal-estar, afastam-se maciçamente dela. Uma ruptura silenciosa se dá entre essa experiência proletária e a grande narrativa de luta e emancipação que supostamente se voltava para ela. O mesmo fenômeno é observado na Grã-Bretanha, na Alemanha e nos países escandinavos, mas a esquerda não precisa ficar indignada e fazer mea-culpa, segundo a fundação Terra Nova, um dos *think tanks* do Partido Socialista francês. O negócio é demonstrar confiança, e não consciência pesada, pois surge uma nova coalizão formada por diplomados, jovens, minorias e mulheres em luta pela igualdade.

Essa coalizão de todas as cores representa a França de amanhã: uma França que quer a mudança, que é tolerante, aberta, solidária, otimista, ofensiva. A essa França decididamente voltada para o futuro se opõe a França de Maurice Barrès e Amélie Poulain, a França saudosa dos bons velhos tempos em que os franceses de raiz só encontravam semelhantes, a França sépia que chora sua homogeneidade perdida, a França medrosa que gostaria de viver isolada do mundo, a França assediada que enxerga em todo recém-chegado um invasor, a França resmungona do "antes era melhor", a França pálida que considera que "a França é cada vez menos a França". Acontece que as classes populares entraram majoritariamente para essa França. Abandonaram o campo do progresso, ou seja, da humanidade em marcha para sua unificação, em troca do ensimesmamento protecionista e particularista. Em suma, o povo decepcionou a esquerda: congelou-se na nostalgia, tornou-se reacionário. Tomando ao pé da letra a irônica solução preconizada por Bertolt Brecht logo depois da primeira insurreição operária num país da Europa comunista, Terra Nova decidiu assim dissolvê-lo e *eleger um outro*. E o fez na euforia do combate contra as forças do mal e de coração tanto mais leve na medida em que a decadência moral do antigo povo é acompanhada muito oportunamente por um declínio sociológico. A darmos crédito à Terra Nova, a nova França está fadada a vencer a batalha numérica. Os insatisfeitos estão envelhecendo, a evolução demográfica os marginaliza, seus dias estão contados.

As eleições francesas de 2012 desmentiram parcialmente essa análise. Grande número de operários e empregados rejeitou no segundo turno o "presidente dos ricos", transferindo seus votos para o candidato da esquerda. Mas a Frente Nacional*

* De extrema direita. (*N. T.*)

continua sendo hoje o maior partido operário da França. E, sobretudo, aqueles que denunciam essa tendência, os simpáticos *bobos*, praticam por sua vez a evitação, pela escolha do local de residência e, mais ainda, da escola onde matriculam os filhos. Eles não são menos separatistas na prática que os ricos que detestam e que o povo que, isolado no *saucisson-pinard*,* traiu sua missão. Inconsequentes, mas categóricos, eles se protegem exatamente daquilo que alegam querer. Preconizam a abolição das fronteiras ao mesmo tempo em que estabelecem zelosamente as suas. Celebram o convívio e fogem da promiscuidade. Fazem o elogio da mestiçagem, o que, no entanto, só os compromete a fazer de tudo para conseguir documentação em dia para a babá ou arrumadeira. O Outro, o Outro: repetem o tempo todo essa palavra-chave, mas é no conforto do seu próprio mundinho que cultivam o exotismo. Seriam cínicos? Hipócritas? Não, estão enganando a si mesmos. Acreditam no que dizem. Só que o que dizem os ilude, amplificando ou camuflando os dispositivos prosaicos do mundo real. Eles substituem a experiência vivida por uma narrativa edificante, e são os primeiros a se deixar enganar por esse passe de mágica. Móveis, flexíveis, fluidos e rápidos, eles têm como figura tutelar Mercúrio, o deus de asas nos pés, embora os prédios onde moram sejam protegidos como cofres-fortes por trás de uma sucessão de códigos digitais e interfones. A mistura de estilos que os encanta, a abertura de que se orgulham são essencialmente turísticas. Eles agradecem

* Literalmente: salsicha-vinho barato de mesa. A expressão designa festas populares iniciadas em 2009 e em grande medida convocadas por redes sociais, reunindo em logradouros centenas e mesmo milhares de pessoas para comemorar, beber e muitas vezes, a partir de 2010, manifestar implícita ou explicitamente sua hostilidade a certas práticas do culto muçulmano e à presença numerosa de muçulmanos na comunidade. (*N. T.*)

à técnica ter abolido as distâncias, e, com elas, a oposição entre o que está próximo e o que está longe: tudo que tinha a aura misteriosa de outros mundos está disponível aqui, todas as músicas, as cozinhas e os sabores, todos os produtos e nomes da terra estão *no estoque*. O tempo dos *blinis* e da *mozzarella* também é aquele em que ninguém precisa mais ser russo ou italiano para chamar o filho de Dimitri ou Matteo: basta *servir-se*. No exato momento em que o mundo comum explode e se etniza, o consumo se globaliza e os *bobos* dão em nome deste uma lição àquele. Eles gostam de encarar sua perambulação gulosa pelos becos do grande bazar como uma vitória do nomadismo sobre os preconceitos chauvinistas. Desse modo, imprimem o selo do ideal na sociedade da mercadoria. Essa moral não é convincente. Pecado capital em se tratando de uma moral: ela é *da boca pra fora*. Eu lhe oporia a moral de um pensador que o cosmopolitismo pós-moderno julgou-se em condições de colocar a seu serviço, mas que decepcionou suas expectativas: Claude Lévi-Strauss.

Em 1952, um antropólogo já então célebre pronuncia na Unesco uma conferência que marcaria data: *Raça e História*. A palavra *raça* está presente apenas para ser logo afastada e substituída por *cultura* ou *civilização*. E, ao contrário do emprego habitual, derivado da filosofia do Iluminismo, essa palavra tampouco deve em caso algum ser usada no singular. Ela designa, segundo a definição clássica de Edward Burnett Tylor, todo o complexo que abrange "as crenças, as artes, a moral, as leis, os costumes e os outros hábitos e faculdades adquiridos pelo homem no estado social", mas esse todo não abarca a totalidade dos mortais. Cada cultura ou civilização humana é tentada a acreditar que encarna sozinha a humanidade, e que aqueles que vivem de outra maneira são selvagens ou bárbaros. Cabe, portanto, combater essa tentação, diz Lévi-Strauss. Ele lembra que, anos depois da descoberta da América, enquanto os espanhóis enviavam missões para investigar e decidir essa espinhosa questão — os indígenas teriam uma alma? —, estes imergiam os brancos prisioneiros "para verificar, mediante vigilância prolongada, se o seu cadáver estava ou não sujeito a putrefação". Dessa semelhança nos comportamentos, ele concluía: "O bárbaro é antes de mais nada o homem que acredita na barbárie." Desse modo, ele priva a colonização de sua razão de ser, indo ao encontro de Montaigne: "Cada qual chama de barbárie o que não é do seu costume."

A conferência *Raça e História* foi recebida e festejada como uma nova *Carta sobre a tolerância*. Depois do aniquilamento do dogmatismo, combater o etnocentrismo; depois da aceitação da diversidade de opiniões individuais, levar em conta a diversidade cultural do gênero humano. O que também é uma autocrítica: a Europa justificou sua dominação do resto do mundo com os feitos técnicos de que se podia vangloriar. Ao demonstrar a cegueira de que dá mostra esse sentimento de superioridade, Lévi-Strauss a coloca no seu devido lugar e ela agradece, pois só mesmo no território do sentimento de culpa seria capaz de se refundar.

Roger Caillois objetou ao etnólogo que a investigação etnológica era apanágio da civilização ocidental e prova "incontestável" de sua superioridade. Nenhuma outra civilização mostrou-se capaz dessa façanha. Nenhuma se voltara para o que está fora com igual curiosidade. Nenhuma se olhara de fora com tal avidez. Nenhuma, como a nossa, fora assim capaz de sair de si mesma. Essa objeção (séria) não foi levada a sério. Rapidamente a conferência de Lévi-Strauss tornou-se um clássico. Ela atendia à expectativa de todos que achavam, tendo em mente o século XX, que a Europa era seu pior, se não mesmo seu único inimigo, cabendo-lhe nunca mais deixar sem vigilância o mal latente em seu seio. Foi então devidamente saudado o inestimável reforço trazido pelo antropólogo ao combate dos europeus contra seus próprios demônios. Ante todas as formas da rejeição do Outro, foram celebradas as virtudes pedagógicas da afirmação, por um grande cientista, de que "a vida da humanidade não se desenvolve sob um regime de uniforme monotonia, mas através de modos extraordinariamente diversificados de sociedades e civilizações".

Raça e História não era a última palavra de Claude Lévi-Strauss. Vinte anos depois, ele pronuncia no mesmo lugar outra conferência, *Raça e Cultura*, e dessa vez, perante delegados majoritários e fascinados dos países do Terceiro Mundo, causa escândalo. Ele tinha escrito o breviário do antirracismo; pois agora mostrava, como escreve Jean Daniel com admiração (e coragem), que "o problema do racismo é muito mais complexo do que afirmam diariamente os moralistas", ainda por cima se julgando lévi-straussianos. À confusão reinante entre atitudes normais e criminais, Lévi-Strauss opõe uma definição tão precisa quanto possível do racismo. Essa doutrina, diz, pode ser resumida em quatro pontos: existe uma correlação entre o patrimônio genético e as aptidões intelectuais; esse patrimônio é comum a todos os membros de certos grupos humanos; esses grupos, chamados de raças, podem ser hierarquizados; essa hierarquia autoriza as "raças" ditas superiores a comandar e explorar as outras e, eventualmente, a dizimá-las. Esse discurso cientificamente indefensável leva a práticas abomináveis, mas Lévi-Strauss adverte solenemente: "Não se pode classificar da mesma forma nem atribuir automaticamente ao mesmo preconceito a atitude de indivíduos ou de grupos que, por sua fidelidade a certos valores, tornam-se total ou parcialmente estranhos a outros valores." Portanto, não confundir racismo com reserva ou orgulho. Consumidores planetários, nem por isso nós somos seres intercambiáveis, e temos o direito de aspirar a não vir a sê-lo. "De modo algum é condenável situar uma maneira de viver ou de pensar acima das outras e sentir-se pouco atraído por aqueles cujo tipo de vida, respeitável em si mesmo, por demais se afaste daquele ao qual estamos tradicionalmente acostumados." E Lévi-Strauss conclui: "Essa relativa incomunicabilidade não autoriza a oprimir nem a destruir os valores que são rejeitados ou seus representantes, mas, mantida nesses limites, nada tem de revoltante. Ela pode até representar o preço a ser pago para que os sistemas de valores de cada família espiritual ou de cada comunidade sejam conservados, encontrando em seu próprio lastro os recursos necessários a sua renovação."

Nós só produzimos o novo a partir do que recebemos. Esquecer ou excomungar nosso passado não é abrir-nos para a dimensão do futuro, mas submeter-nos sem resistência à força das coisas. Se nada se perpetua, não é possível nenhum começo. Nem tampouco se tudo se mistura. O antigo e o moderno correm o risco de cair juntos no oceano da indiferenciação. O mundo humano e terrestre precisa de fronteiras. Lévi-Strauss convida-nos então, a nós, franceses, a nós, europeus, a rever nossas pretensões por baixo, sem por isso abrir mão do que nos funda. Devemos, diz, extrair as lições do século XX abrindo espaço para a alteridade. Mas acaso não somos nós mesmos o outro do Outro? E esse outro também não teria direito de ser e de perseverar no seu ser? O abandono da grande ambição do Iluminismo, que consistia em dar ao mundo inteiro nosso rosto, não deve levar a apagar esse rosto. E, para se fazer entender, Lévi-Strauss prega pelo exemplo. Em *De perto e de longe*, livro de entrevistas com Didier Eribon publicado em 1998, ele afirma que, se uma comunidade étnica "aceita bem o barulho ou mesmo se compraz nele", ele não vai amaldiçoá-la, excluí-la do gênero humano nem, naturalmente, incriminar seu patrimônio genético. Mas, acrescenta, "eu preferiria não viver muito perto, nem gostaria que, sob esse grosseiro pretexto, tentassem fazer sentir-me culpado".

A imigração que contribui e sempre contribuirá mais para o povoamento do Velho Mundo coloca as nações europeias e a própria Europa diante da sua identidade. Os indivíduos cosmopolitas que espontaneamente éramos tinham perdido o hábito de dizer *nós*. E eis-nos agora voltando a contragosto a ser românticos. Estávamos fazendo a descoberta do nosso ser, sob o choque da pluralidade. Descoberta preciosa, descoberta perigosa: precisamos combater a tentação etnocêntrica de perseguir as diferenças e nos apresentar como modelo ideal, sem por isso sucumbir à tentação penitencial de abrir mão de nós mesmos para expiar nossos pecados. A consciência tranquila nos é vedada, mas existem limites para o sentimento de culpa. Nossa herança, que certamente não faz de nós seres superiores, merece ser preservada e cultivada. O que de modo algum implica uma volta a Taine, Barrès e a seu pathos do enraizamento. É verdade que existem franceses de raiz. E esse dado não deve ser considerado negligenciável, desprezível nem muito menos culposo. De Gaulle não poderia ter sentido em junho de 1940 a certeza absoluta de encarnar a França se não viesse de uma velha família francesa. Ele precisava dessa herança. Precisava dessa profundidade de tempo. Precisava dessa legitimidade filial. Mas a ele se juntaram outros que não tinham brasões equivalentes, e que eram até, na sua expressão afetuosa e agradecida, *métèques*,* pois, como diz Emmanuel Levinas,

---

* Pessoas de origem estrangeira. (*N. T.*)

"a França é uma nação à qual podemos nos ligar pelo coração tão fortemente quanto pelas raízes". Essa nação e essa ideia da nação estavam engajadas entre 1939 e 1945 numa luta implacável contra a mística do sangue e do solo.

Com seus plátanos e seus castanheiros, suas paisagens e sua história, seu gênio próprio e o que toma de empréstimo, sua língua, suas obras e suas trocas, a modalidade francesa da civilização europeia desenha um mundo. E esse mundo se oferece tanto aos autóctones quanto aos recém-chegados. Para não repetir os erros do passado e enfrentar o desafio contemporâneo do viver-junto, há hoje quem queira apagar a proposta identitária. Lévi-Strauss nos ensina, pelo contrário, que ela deve ser firmemente preservada e transmitida sem vergonha.

“Uma coisa bela, preciosa, frágil e perecível...”

Mas será que ainda sabemos e podemos transmitir? Ainda há lugar para as obras e os atos dos mortos no mundo fluido, volátil e volúvel dos vivos? Uma pesquisa sobre as práticas culturais dos franceses entre 1973 e 2008 convida a fazer a pergunta. Seu autor, o sociólogo Olivier Donnat, confirma e amplia o diagnóstico de Christian Baudelot: é cada vez menor o número de leitores de livros na França, e eles são cada vez mais velhos. O público adolescente afasta-se maciçamente dos livros, esses manuais incômodos, mergulhando sem volta na imaterialidade das novas tecnologias. Não que os jovens tenham deixado de ler, mas eles se entregam cada vez mais a atos de leitura em telas. E não se trata apenas de uma mudança de suporte.

Nas maravilhosas páginas que escreveu sobre a leitura, Proust compara sua experiência da *Divina Comédia* ou de Shakespeare com a impressão que teve na Piazzetta em Veneza, diante das duas colunas “que têm em seus capitéis gregos o Leão de São Marcos, uma delas, e São Teodoro, a outra, esmagando o crocodilo com os pés". Com essas admiráveis esculturas, o passado contesta ao presente o monopólio da presença: "Sim, em plena praça pública, em pleno hoje, cujo império interrompe nesse lugar, um pouco do século XII do século XII há tanto esquecido ergue-se num duplo e leve elã de granito rosa. Ao redor, os dias atuais, os dias que nós vivemos, circulam, atropelam-se zumbindo em torno das colunas, mas ali bruscamente se detêm, fogem como abelhas enxotadas; pois eles não estão no presente, esses altos e finos enclaves do passado, mas num outro tempo, onde é proibido ao presente penetrar." Assim também os livros: exatamente como as colunas de Veneza, eles nos isolam do alarido ambiente, afastam os dias atuais e, com sua escassa espessura, reservam "o lugar inviolável do passado".

O que não acontece na tela. Como escreve Nicholas Carr em seu livro *The Shallows: What the Internet Is Doing to Our Brains* (traduzido em francês de maneira sensacionalista como *A Internet emburrece?*): "A qualquer momento, onde quer que estejamos, a Net nos oferece uma massa confusa incrivelmente sedutora." O livro é apenas textual; a tela mistura texto, sentidos, imagens. O livro, tal como o leão de São Marcos, é uma *coisa*; na tela, não há coisas, mas *fluxos*. O livro se apresenta como uma entidade distinta; na tela, nenhuma fronteira separa a página escrita do resto do mundo virtual. O livro requer uma atenção continuada, enquanto os dispositivos de que o leitor se beneficia na tela permitem pular de um texto a outro e, como frisa Olivier Donnat, "favorecem as leituras fugazes, descontínuas, voltadas para a busca rápida de informações". O livro propõe um mundo; a tela fluidifica o mundo; ler um livro é seguir um caminho; a leitura na tela é um esporte deslizante. O livro desdobra um tempo no qual o presente está proibido de entrar; a tela multifuncional derruba a proibição, e o presente toma o poder com o nome tão triunfal quanto enganador de "tempo real". O livro, enfim, tem sentido único: uma voz vem da outra margem; a tela digital tem duplo sentido. É ela inclusive, segundo Nicholas Carr, sua grande especificidade: "Nós tanto podemos enviar mensagens pela rede quanto recebê-las." Quando uma adolescente americana navega de site em site para redigir um dever sobre o poeta E. E. Cummings, usa nada menos que nove janelas ativas no escritório de seu computador portátil, seis das quais estão abertas para conversas através de mensagens instantâneas, segundo nos informa sua mãe, a jornalista Susan Maushart, no livro que, com o sóbrio título de *Pause*, relata a experiência de desconexão eletrônica que ela impôs à sua pequena família.

Assim é que cortamos o contato com os contemporâneos quando abrimos um livro; e entramos em contato com eles quando ligamos o computador. Naturalmente, é possível alternar as duas ocupações e também recorrer, para se documentar, conferir uma citação, ajudar a memória, às ilimitadas estantes da Web: "A conversão digital das coleções existentes permite a constituição de uma biblioteca sem paredes na qual se pode ter acesso a todas as obras publicadas até hoje, todos os escritos que constituem o patrimônio da humanidade", escreve Roger Chartier, titular da cadeira "Escrita e cultura na Europa moderna" no Collège de France. Donde o entusiasmo dos pesquisadores, a tecnofilia agradecida e militante da maioria dos universitários. Onde quer que estejam, em casa ou nos cafundós da floresta amazônica, eles podem a qualquer momento ter acesso imediato aos textos de que precisam, até mesmo os mais raros, os mais fugazes, inclusive os que não estão disponíveis nas livrarias. "No site Gallica", entusiasma-se um colega de Roger Chartier, Antoine Compagnon, "eu consulto quase diariamente uma velha edição do *Figaro*, do *Temps* ou da *Revue des Deux Mondes*."

Tesouro borgesiano para os eruditos, mina inesgotável de informações para os jornalistas, prodigiosa gama de serviços para todo mundo, a Internet também é, para certos escritores, uma oportunidade de explorar a opção *hipertextual* à ordem linear do discurso. Em vez de ir sempre em frente, a Rede permite a esses inovadores interromperem seu percurso e, mediante redirecionamentos, bifurcações, associações ou ressonâncias, aprofundar indefinidamente o sentido. Parece compreensível sua gratidão diante dessas possibilidades vertiginosas. A Internet enriquece os já ricos. Mas os beneficiários da revolução digital não têm grande peso diante da multidão incontável de rebentos. Ao contrário das aparências, a geração Internet é a grande perdedora da Internet. Para ela, que só quer conhecer a tela e através da tela, não há mais a possibilidade da experiência proustiana. Enquanto Proust criança e adolescente concentrava sua atenção num objeto único, os filhos livres do digital dispersam a sua ao sabor das incessantes solicitações proporcionadas pela Rede. O "tudo imediatamente" do computador levou-os a desaprender a longa paciência das viagens imóveis. Eles são levados pelo contínuo da informação a mergulhar no *esquecimento da obra*, e quando fecham a porta do quarto não é para se isolar, mas para se conectar e "*chatter*" à vontade. Eles substituem o prazer do texto pelo frenesi do torpedo, e, entre mensagens de texto e páginas do Facebook, a leitura é absorvida pelo balbucio sem fim da sociabilidade virtual. Assim nasce um universo de comunicação cuja descrição mais inquietante não é fornecida pelas diatribes reacionárias, mas pela publicidade: "Com seu plano M6 móvel, mantenha contato e esteja sempre conectado!"

Apesar de mais potente que nunca, portanto, a imagem não aboliu a velha autoridade da ordem verbal. Pierre Lévy, especialista e profeta dos novos meios de comunicação, constata com razão: "dá-se hoje com o texto como com a água e a areia". A tela não matou a escrita. O ato de ler continua essencial na sociedade digital. Mas ele se separou do livro. O livro perdeu a batalha da leitura. E a própria escola, como já começamos a ver, entregou as armas. Outrora lugar privilegiado do livro, ela hoje corre desesperadamente atrás dos leitores voláteis gerados pelas novas tecnologias. "Vocês estão apavorados com seus próprios filhos porque eles nasceram num mundo em que vocês serão sempre imigrantes", escreveu John Perry Barlow, letrista da banda de rock Grateful Dead, em solene declaração de independência do cyberespaço, essa nova morada do espírito. Em outras palavras, ser velho não é mais ter experiência, mas carecer dela, agora que a humanidade mudou de elemento. Não é mais ser depositário de um conhecimento, de uma sabedoria, de uma história ou de uma profissão, mas ser deficiente. Os adultos eram os representantes do mundo junto aos recém-chegados, mas agora são esses estranhos, esses incapazes, esses simplórios que os *digital natives* olham do alto de sua incontestável cybersuperioridade. Que tratem, portanto, de assimilar a mudança de era. Cabe às antigas gerações cuidarem da própria reeducação. E aos pais e professores calcarem suas práticas nas maneiras de ser, de olhar, de se informar e de comunicar da cidade cujos príncipes são seus filhos, o que eles já fazem, num ritmo endiabrado e com um zelo irretocável, seja digitalizando as ferramentas pedagógicas, seja, como mostra Mona Ozouf num artigo em *Débat*, adaptando os manuais ainda não desmaterializados à nova sensibilidade digital. Para não contrariarem aquele que Michel Serres chama, com afetuosa admiração, de "Pequeno

Polegar", em homenagem à maestria com que as mensagens são disparadas por seus polegares, esses manuais imitam na medida do possível a paisagem estrelada da Rede, oferecendo uma miscelânea de textos breves e imagens cintilantes. E jamais enxotam as "abelhas do presente", recebendo-as, pelo contrário, de braços abertos e mesmo se empenhando em rivalizar com seu *buzz*, não sem certo humor involuntário, maliciosamente apontado por Mona Ozouf: "Como a 'Primeira carta aos coríntios' não é naturalmente um texto fácil, eles convidam os alunos a escrever uma carta a um jornal, depois de reler a carta de São Paulo e eventualmente ouvir a canção de Jacques Brel *Quand on n'a que l'amour* [Quando só temos amor]. Promovem pesquisas destituídas de qualquer suspense: 'Você acha possível acabar com todos os tabus?' e mais engraçado ainda: 'Você concordaria com uma reforma da ortografia?' Pedem que redijam 'um diálogo num fórum da Internet entre um adolescente na onda e um homem mais velho afeito aos métodos tradicionais'. Considerar que a atualidade é a única maneira de despertar o desejo é a firme convicção dos manuais, que às vezes ostentam ingenuamente na contracapa: Magnard* tira a poeira dos clássicos e dá brilho aos contemporâneos."

Que significa tirar a poeira? É adaptar ao gosto do momento. Esse manual, que, como todos os congêneres, combate decididamente o provincianismo, também compartilha com eles um *etnocentrismo do presente* não menos limitado, não menos exclusivo que o antigo provincianismo. Faz o elogio do Outro e estigmatiza o que não for hoje, o que tiver passado por alguma triagem, irredutivelmente estranho ao espaço de comunicação em que os vivos, prolongados por suas próteses eletrônicas,

* Editora de manuais escolares e livros para a juventude. (*N. T.*)

mergulham continuamente. Se *Le Cid* é estudado por crianças de 11 a 13 anos no ensino fundamental, não é para conduzir os alunos longe de suas redes sociais e do universo familiar, mas, pelo contrário, para trazer Corneille ao seu universo. E, como a operação se revela impraticável, *Le Cid* foi retirado do currículo. A maioria dos professores obedece às instruções: escolher uma problemática familiar aos alunos. E por sinal dispõem, para isso, de obras com cursos já prontinhos sobre situações que têm em comum *não causar estranheza*: "o divórcio dos pais", "a vida difícil nos bairros da periferia, ante o problema do racismo", por exemplo. Aquilo a que se dá gloriosamente o nome de abertura para a vida não passa de um fechamento do presente sobre si mesmo.

Fragilidade da identidade nacional. Supostamente sufocante, ela se revela evanescente. Longe de estar condenada de uma vez por todas, ela se repete, se enriquece ou empobrece, se acentua ou perde força a cada passagem de bastão. Nós não viemos apenas de nós mesmos, não somos deuses: nascemos num lugar e numa língua, mas — a imagem da árvore é enganosa — nem por isso somos seres programados. Tudo pode acontecer. Nenhuma herança impede os herdeiros que somos de deixar de lado o legado. "O que recebeste de teus pais, trata de adquiri-lo para possuí-lo", escrevia Goethe em *Fausto*, pois ele não se deixava enganar pela metáfora tranquilizadora das raízes. Nós podemos demitir nossos pais. Temos o direito de ser levianos, inconsequentes, inconstantes, interessados em mil outras coisas. Podemos trocar a sintaxe da narrativa nacional pela parataxe da atualidade perpétua. Em suma, temos a liberdade de não atender às expectativas. E a essa liberdade tudo nos chama. Resistamos ao presente, pede Deleuze, mas o presente nunca foi tão irresistível, desde o início da revolução digital e da proliferação de portais. Nunca o imediato ocupou uma posição tão hegemônica. Nunca foi necessário tanta força de vontade para *não perder o fio.* Nunca o esquecimento se cobriu de cores tão vivas. Nunca surgiram simultaneamente de todos os lados tantas razões de se deixar distrair. E não devemos temer o pathos: pela primeira vez na história, as três condições de possibilidade de conversa com os mortos — silêncio, solidão, lentidão — são atacadas ao mesmo tempo. Assim é que a identidade nacional, como tudo aquilo que dura, é triturada na instantaneidade e na interatividade dos novos meios de comunicação. Não são necessários filósofos ou historiadores, portanto, para desconstruí-la. Basta a técnica.

Em 1925, vinte anos depois da meditação proustiana sobre a leitura, o grande romanista alemão Ernst Robert Curtius ainda observa que "a literatura desempenha um papel capital na consciência que a França tem de si mesma e de sua civilização", e que "nenhuma outra nação lhe confere um lugar comparável". Na mesma época, seu amigo Charles Du Bos afirma sem receio de ser desmentido ou desacreditado que "existe um grande diálogo que desejamos possa perdurar tanto quanto nossa raça, pois dele emana a música mais abrangente e solene que o gênio francês transmite pelo instrumento que lhe é próprio: o diálogo Montaigne-Pascal. Um francês é profundo na medida em que, na posição que ocupa, sabe manter esse diálogo vivo em si mesmo". Albert Thibaudet, enfim, amplia a proposta. O francês é *dialógico*, diz, pois habita uma literatura que vive "sob a lei do par: Montaigne e Pascal, mas também Bossuet e Fénelon, Corneille e Racine, Voltaire e Rousseau, Hugo e Lamartine...".

Tais reflexões nos chegam como ecos distantes de um mundo que desapareceu. O francês retratado por Du Bos pertencia à burguesia. E o burguês não era apenas o homem econômico, era também um *herdeiro*. Ele de fato tinha construído uma nova sociedade, governada pelo interesse, mas se eximira, não obstante as proclamações revolucionárias, de fazer tábula rasa do Antigo Regime, ou seja, para falar como Hume no luminoso ensaio citado acima, da "monarquia civilizada". "As repúblicas favorecem mais o desenvolvimento das ciências, e as monarquias civilizadas, o das artes polidas", escreve Hume. Nas repúblicas (e para Hume a Inglaterra, regime parlamentar, é uma república), busca-se o que é útil e pode ser aplicado à vida comum; nas monarquias civilizadas (cujo modelo é então a França), cultiva-se o lazer, pratica-se a arte da conversa, e aquele que quiser cair nas boas graças dos grandes não precisa ser útil, mas tornar-se agradável "pelo espírito, a boa vontade e a civilidade". Decorre daí, diz Hume, que "a polidez dos costumes aumenta mais naturalmente nas monarquias e nas cortes, e nenhuma das artes liberais será completamente negligenciada nem desprezada onde ela floresce". As monarquias civilizadas permitem e mesmo exigem a aliança do pensamento com o estilo.

Os democratas até a ponta dos dedos em que nos transformamos gostariam de fazer com que derivassem da ideia de igualdade o conjunto das virtudes humanas e a integralidade dos benefícios da civilização. Mas a história não quer assim: foi no reinado de Luís XIV, quando tudo se decidia na corte, que os franceses foram "os legisladores da Europa", "no terreno da eloquência, na poesia, na literatura, nos livros de moral e entretenimento", como frisa Voltaire, outro pensador do Iluminismo. Eles não desempenhavam mais essa função em 1925. Mas a França continuava sendo uma pátria literária, pois a classe industriosa e comerciante que dirigia a sociedade queria prosseguir se instruindo junto aos grandes autores desse passado glorioso. Ao mesmo tempo em que livrava o desejo de enriquecimento da dupla condenação da moral aristocrática e da moral cristã, a burguesia cultivava as artes liberais. Ela queria *conhecer seus clássicos.* E certamente também queria defender a ordem estabelecida. O que fazia, desde seu advento, com uma contrição e uma seriedade ironizadas por Sartre em *A Náusea.* Mas o fato é que a maioria dos escritores que acertavam as contas com ela era recrutada em suas próprias fileiras, e mais cedo ou mais tarde a rebelião que protagonizavam entrava para sua biblioteca. A crítica social acabou tomando nota do lugar ocupado por esse "suplemento de alma" na vida burguesa. De Marx ou Dickens a Pierre Bourdieu, ela veio redirecionar sua acusação: não questiona mais apenas o espírito mercantil da classe dominante, sua sede de lucro e sua tendência a considerar as coisas e os seres exclusivamente pelo ângulo da rentabilidade; promove também o julgamento do seu elitismo e do seu esnobismo. De bom grado lhe reconhece outras motivações e outras estratégias além do estrito cálculo econômico, mas o faz para denunciar em seus julgamentos de gosto a permanente preocupação de se distanciar do vulgar. A burguesia apreciaria os quadros dos grandes mestres, a grande literatura e a música erudita exclusivamente para desfrutar de seu prestígio cultural e da sua superioridade sobre um povo grosseiro, primário, bárbaro. Dickens denunciava a ideia de que "cada polegada da existência humana, do nascimento à morte, deva ser um negócio pago à vista". Bourdieu investe contra "o caráter sagrado, separado e separador da cultura legítima, solenidade glacial dos grandes museus, luxo grandioso das óperas e dos grandes teatros, cenário e decoro dos concertos". Acompanhando-se o raciocínio do sociólogo, não só os burgueses não desprezam a cultura como inventaram o seu culto. Com efeito, é a cultura que eleva sua classe acima das outras e a constitui em aristocracia.

Não estou convencido de que seja possível reduzir o gosto burguês pelas obras a uma aversão aos pobres, nem a religião das humanidades ao sorrateiro estabelecimento de um sistema de apartheid social: a *distinção* não explica tudo. Mas de qualquer maneira a crítica de Bourdieu não tem mais objeto. Perdeu toda a pertinência, pois os novos abastados são os coveiros da burguesia, e não seus continuadores. Eles ainda frequentam os museus ou pelo menos as grandes "exposições", que nada mais têm de solene, mas os burgueses jamais teriam chamado de música o que eles hoje ouvem com esse nome. Além do mais, pouco lhes importam Corneille e Racine ou qualquer dos pares constitutivos da literatura francesa e daquilo que durante muito tempo foi seu ensino. Como diziam Christian Baudelot e Roger Establet já em 1989, em *Le niveau monte* [O nível está subindo], um livro sobre a escola cujo título triunfal provoca hoje amargas gargalhadas: "O executivo moderno deve aprender a arte da leitura rápida, o resumo, as línguas estrangeiras orais, o tênis." Ele destoaria num almoço de negócios recitando *Bérénice* ou "Tristesse d'Olympio". E isso antes que as *megastores* culturais relegassem os livros ao último andar para melhor expor objetos, suportes e conteúdos da nova midiasfera.

O consumo ostentatório continua a toda, mas quando um banqueiro como Matthieu Pigasse quer distinguir-se dos pares e do comum dos mortais, ao mesmo tempo se mostrando em perfeita sintonia com o espírito da época, explica que para galvanizar sua energia criadora ouve "rock hostil" no mais alto volume, para enorme contrariedade dos colaboradores. Quaisquer que tenham sido os motivos — pose ou verdadeiro interesse —, a burguesia tinha a cultura em alta estima. As novas elites, superagendadas e hiperconectadas, trataram por sua vez de se livrar da herança dos séculos. São burguesas exclusivamente pelo gosto do conforto. O resto fugiu pelo ralo. E não venham falar de "gênio francês" aos nossos globalizados: mergulhados na memória do século XX, eles rejeitam o termo *horrorizados* e se sentem na obrigação de esquecer tudo que ela contém.

Restam, naturalmente, os intelectuais. Eles são insaciáveis leitores, e em suas estantes sempre há lugar para a literatura. Mas, quando se trata de abordar as coisas sérias e está em jogo a inteligibilidade do mundo, os profissionais das coisas do espírito voltam-se majoritariamente para a economia, a etnologia, a sociologia, a história das mentalidades. Essa passagem de bastão das humanidades às ciências sociais apresenta uma indubitável rentabilidade cognitiva, mas o que se perde, ao mesmo tempo, é o *superego literário* que mantinha de pé a língua. E assistimos à perda de vigor da conversação francesa no exato momento em que as novas tecnologias levam ao apogeu a comunicação entre os homens.

Para ilustrar o bom uso do francês com citações literárias, como ainda faz o gramático Maurice Grevisse, é preciso estar convencido de que, por intermédio dos escritores, a beleza rege a língua, e o estilo não é um adorno gratuito, mas, como sustentava Proust, uma qualidade da visão. Essa certeza está desaparecendo. Na era dos direitos humanos e das ciências do homem, todas as estátuas são derrubadas. Corneille e Racine descem do pedestal, e a graça ou a justeza dos seus alexandrinos não é mais festejada, pois se acredita que todos os discursos, todas as formulações se equivalem, cabendo ao gramático transformado em linguista homologar as mais frequentes. Legislar é legalizar o fato consumado. Agora os novos Grevisse não formam mais um tribunal, mas um escritório de registro. Eles não indicam mais o caminho a seguir; eximindo-se de bancar a polícia, acompanham sorridentes a evolução da língua. Em vez de submeterem a expressão oral às regras da boa escrita, como em outros tempos, tratam de subtraí-la ao controle mortífero dos puristas: a prática majoritária passou a constituir a norma. Àqueles que se questionam ansiosos quanto ao valor da mudança, eles respondem alegremente que o valor reside na própria mudança e que o fim de um mundo não é o fim do mundo, mas a aurora de uma nova vida. Para esses otimistas a toda prova, não se trata de desastre sintático nem de empobrecimento léxico. O processo em curso pode perfeitamente enterrar o subjuntivo, abandonar os conectivos, rarefazer as palavras, generalizar, da cúpula do Estado ao café da esquina, passando pelas salas do corpo docente, a repetição infantil do sujeito ("A França, ela tem muitos trunfos"; "A crise, ela está longe de ter acabado"; "Os jovens, eles dão duro e ninguém se mexe"), mas o ideal não chega a ser conspurcado, pois o ideal é o próprio processo.

É verdade que o ensino literário não desapareceu. Persistem alguns lugares nos quais, em vez de anexar os clássicos ao espírito da época, eles são estudados pelo que valem, com erudição e paixão. Entretanto, como frisa admiravelmente Péguy em *Les Suppliants parallèles* [Os suplementos paralelos], "existe um abismo para uma cultura (...) entre figurar em sua posição linear na memória e no ensino de alguns estudiosos e em alguns catálogos de bibliotecas e se incorporar, pelo contrário, através de estudos secundários, de humanidades, a todo o corpo pensante e vivo, a todo o corpo sensível de todo um povo, (...) a todo o corpo dos artistas, dos poetas, dos filósofos, dos escritores, cientistas e homens de ação, de todos os homens de gosto, (...) numa palavra, de todos os homens que formavam um povo cultivado, no povo, no povo no sentido amplo". Esse povo não existe mais. Podemos até dizer que o último prego foi pregado no seu caixão em 20 de março de 2013 pela ministra francesa do Ensino Superior, ao declarar, para justificar o fim do monopólio da língua nacional nos cursos, exames, dissertações e teses: "Se não autorizarmos aulas em inglês, não atrairemos estudantes de países emergentes como a Coreia do Sul e a Índia. E seremos cinco pessoas discutindo Proust ao redor de uma mesa, embora eu goste muito de Proust." Cinco, diz ela, embora quase 80% dos jovens alcancem hoje em dia o *baccalauréat*.* A escola "aberta", assim, não cultivou o povo, ela levou a melhor sobre o povo cultivado. Nasceu uma nova sociedade. E, se quisermos saber como essa sociedade pensa e que língua fala, basta ouvir a presidente da associação "Marianne de la Diversité", criada, como indica o nome,** para estimular e promover o surgimento de talentos femininos na França plural: "Levando-se em conta nossa história, nosso passado, nosso *software*, estamos *em condições de* refundar nosso modelo republicano e torná-lo mais igualitário e mais atento aos fracos, às minorias. É um dever de responsabilidade se quisermos que o viver e fazer juntos tenha algum sentido." A Marianne do século XXI se preocupa tanto com os humildes que em seu nome imolou o povo cultivado, substituindo o velho gênio da nação por um software novinho em folha, pois para ela a realidade só existe como programa, e a língua, como mensagem ou informação. Nada resta do resto que um dia foi literatura.

Reina, portanto, o funcionalismo, que leva à uniformidade. Uma vez reduzido o verbo a um veículo, a um meio de informação

---

* Exame de fim de estudos equivalente ao vestibular brasileiro. (*N. T.*)

** Figura alegórica de mulher que desde a Revolução Francesa é a sua licitação nacional da República. (*N. T.*)

e comunicação, todo mundo adota o mais confortável. Nada distingue locutores que falam apenas para se fazer entender. A partir do momento em que só se percebe o significado no signo, "o diverso míngua" e é o fim progressivo dos níveis de língua. Sintoma gritante desse desaparecimento: a legendagem sistematicamente escatológica dos filmes. "*Boring*" só é traduzido como "*chiant*"* e "*in trouble*", como "na merda". Sejam milionários ou proletários, financistas ou trabalhadores sazonais, os ingleses e os americanos de hoje fazem uso imoderado de "*shit*" e "*fuck*", sem qualquer receio de levar pelas orelhas o proverbial "*shocking!*" de séculos anteriores, mas quando ainda acontece de alguns originais saídos de um romance de Jane Austen ou Henry James dizerem que estão entediados, contrariados ou melancólicos, nós imediatamente os puxamos para o mar de excrementos onde nossa desgraça estabeleceu domicílio. As represas erguidas pela polidez contra o derramamento da matéria foram arrastadas. Até a apresentadora da previsão meteorológica num reputado canal de televisão, muito imitada por sua impertinência, anuncia com as seguintes palavras que vai chover em pleno mês de maio durante o Festival de Cannes: "Um tempo de merda." A merda tomou conta de tudo, do céu, da terra, da família, da escola, do escritório, dos transportes — é um dos principais ornamentos do que Renaud Camus chama, por antífrase, de "repertório das delicadezas do francês contemporâneo". Mas ninguém parece incomodado, pois *nós falamos sem nos ouvir.* Das palavras, o software social não figura o que designam, mas apenas o que querem dizer. E assim registra sem titubear o destaque no jornal *Libération* desta máxima

---

* "Chato", sim, mas a palavra francesa vem de um campo semântico mais pesado: *chier* é, literalmente, cagar. (*N. T.*)

do esgrimista francês Gauthier Grumier, participando das olimpíadas de Londres em 2012: "*En chier, jusqu'à la perfection.*"*

Não é a vulgaridade que choca na utilização pública dessa expressão, assinalando a entrada da sociedade francesa na era simultaneamente pós-burguesa, pós-gíria e pós-literária, mas o fato de essa vulgaridade nem ser audível. Suas trombetas não acordam ninguém. Sua presença não é registrada. Para o novo regime semântico, a forma não conta, só o sentido tem sentido. E, se a forma não tem a menor importância, para que se dar ao trabalho de *respeitar as formas*? O negócio é ir direto ao ponto, descartar esses enfeites inúteis. Dizer o que "se sente" sem filtro, sem rodeios. Nada de nuanças nem de efeitos de oratória. Ninguém está preocupado com aparências: todo mundo à vontade. Nada de perífrases nem de eufemismos para amortecer a irrupção no discurso das dificuldades ou más surpresas da vida. "Merda" e "*chiant*" não têm mais cheiro, mas são palavras que guardam sobre os sinônimos mais elevados a superioridade do afeto bruto sobre a afetação, o jogo social e as obrigações e limitações do mundo. Aos delicados e mal-humorados que se incomodam com essa ausência de moderação, a sociedade, já agora sem distinções de classe, responde numa gargalhada: "Corta essa!" E é com a maior naturalidade que um sindicato de magistrados decide exibir num mural fotografias e nomes de todos aqueles que seus membros não querem ver nem pintados.

Nossa época enxerga no respeito das formas a ação nefasta da censura e os estragos da *langue de bois*.** Toma de empréstimo

---

* Algo como "Botar para foder, até a perfeição". (*N. T.*)

** Literalmente, língua de pau: para evitar um assunto ou um constrangimento, especialmente em política, falar ou responder com banalidades abstratas ou pomposas que apelam para os sentimentos, contornando os fatos. Filha do burocratês, do politiquês ou do economês, é prima da cara de pau brasileira. (*N. T.*)

essa última expressão ao léxico da dissidência antitotalitária, mas alterando radicalmente seu sentido. A língua de pau não são mais os sintagmas congelados, os estereótipos assassinos ou os êxtases pré-fabricados da ideologia, mas as limitações civilizacionais que ainda pesam sobre o discurso. No idioma político-midiático de hoje, deixar de recorrer à língua de pau é "se soltar", "ser natural", dispensar a retórica, falar sem luvas de pelica. Referindo-se a uma ex-candidata à presidência da República, Daniel Cohn-Bendit fez este cumprimento de conhecedor: "Ségolène Royal vem mesmo de 68. Ela diz: 'Quand ça me fait chier, je m'en vais.'"*

Para superar os próprios humores e cinzelar as frases é preciso querer fazer boa figura, mostrar-se sob um ângulo vantajoso. Em compensação, fala-se como saírem as palavras quando se quer ser e mostrar-se tal como se é. Hipocrisia de uns, autenticidade de outros? As coisas não são tão simples: cada um desses comportamentos é portador de uma moral e de uma concepção da verdade. Ou bem a verdade de fato resulta de uma verificação, ou bem ela já está lá, oculta, recalcada, precisando apenas vir para fora. No primeiro caso, o homem verídico é aquele que faz tudo ao seu alcance para se assemelhar à imagem que decidiu apresentar de si mesmo: ele se realiza mediante o desafio que se propõe. No segundo, o homem verdadeiro é aquele que denuncia sem hesitar os tabus, as hipocrisias, os protocolos: ele se realiza desinibindo-se. Nossa época escolheu esse segundo modelo. Onde havia ascese, só vemos hoje travestimento e falsificação. Tornando-se mentirosas, as aparências perderam a partida. E, com elas, os mortos. Parecer, com efeito, era mais ou menos comparecer diante deles. Até recentemente, eles formavam o tri-

---

* Quando eu encho o saco, vou embora. (*N. T.*)

bunal do pensamento e da língua. Desde que não lhes "encham o saco", os democratas atuais participam assistindo a infindáveis debates sobre as questões políticas, econômicas e, como se diz, *de sociedade*, mas não têm contas a prestar, e além do mais debatem com seus pares, nunca com os séculos. Sobre este ou aquele tema, de modo algum importa saber o que pensam Péguy ou Pascal, nem interrogar Voltaire e Rousseau, exceto quando for possível fazê-los ratificar as opiniões ou, melhor ainda, as *indignações* da hora. E se os mortos se intrometem por meio da literatura na conversa francesa, o Outro, ou pelo menos aqueles que falam em seu nome investem contra eles e os botam para correr. Esses zelosos porta-vozes participam de todos os governos. Atacado pela esquerda, mas não menos decidido que ela a impedir que os defuntos façam alguma diferença entre os vivos, o governo de 2008 eliminou as provas de cultura geral dos concursos administrativos porque, segundo o secretário de Estado para a Função Pública, "essas provas eliminam aqueles que não dispõem dos códigos muitas vezes herdados do meio familiar. É uma forma invisível de discriminação". Essa decisão foi entusiasticamente apoiada pelo CRAN (Conselho Representativo das Associações Negras da França): "Nós nos congratulamos pelo fato de o governo finalmente investir contra as discriminações indiretas, que são as mais numerosas e graves. (...) Já era hora de o Estado, maior empregador da França, dar o exemplo da diversidade na função pública, demonstrando sua vontade de avançar nesse terreno."

Em 2011, o Instituto de Estudos Políticos de Paris tomou a mesma decisão, invocando o mesmo motivo: a cultura geral favorece os favorecidos. Ela deixa a velha França em situação de vantagem em detrimento da nova, a burguesia tradicional em detrimento das minorias étnicas, os herdeiros em detrimento da diversidade. Se a França quiser adequar-se àquilo que se tornou, precisa romper as trocas endogâmicas com seus clássicos e introduzir outros critérios de seleção, "o engajamento na vida associativa, esportiva, cultural, política ou sindical", a capacidade de desenvolver uma reflexão pessoal, o gosto pela inovação, por exemplo. A medida provocou, é verdade, uma grita geral. Mas seus detratores mais eloquentes exageraram na dose. Assim, segundo o jornalista Christophe Barbier, não era o caso de eliminar as provas de cultura geral, e sim de promover o seu *rejuvenescimento*, integrando ao currículo os jogos de vídeo e a "cultura dos bairros". O amor pelo Outro cuida portanto para que o presente não saia de si. E aos poucos se vai apagando para dar lugar à diversidade, a contribuição francesa à diversidade do mundo.

Nenhum escritor aparece na relação das personalidades preferidas dos franceses publicada semestralmente pelo *Journal du dimanche*. E ninguém estranha. Ninguém se questiona. Ninguém sequer nota essa estranha ausência num país que era apresentado aos estudantes de uma universidade japonesa por Claudel, na época em que Curtius escrevia seu ensaio, com o comentário de que, nele, a literatura não era a expressão de algumas mentes excepcionais, mas "a necessidade de toda uma raça, a transação ininterrupta entre suas diferentes vertentes, o meio de assimilação de todo problema novo com que se deparava". Em compensação, o que deixa maravilhados os apóstolos da nova Marianne é a pigmentação dos felizes laureados. Para deixar bem claras a unicidade e a irredutibilidade de cada ser humano, o antigo antirracismo era *color blind*. O antirracismo contemporâneo, em compensação, fecha os olhos a tudo que não seja a cor da pele. Seus seguidores cultivam a obsessão da raça no sentido fisiológico que a palavra não tinha em Claudel. Orgulham-se de ter conseguido, depois de longo combate, que a palavra fosse posta fora da lei, lançam furioso anátema sobre aqueles que têm a ousadia de continuar a usá-la e ao mesmo tempo colocam a origem acima da originalidade e a epiderme acima da excelência. Já em 1998 atribuíam a proeza esportiva da seleção francesa de futebol, que acabava de se sagrar campeã do mundo, a sua composição étnica. Em 2003, o jornal *Le Monde* publicava em manchete de cinco colunas na primeira página: "Com Alexandre Dumas, a mestiçagem entra para o Panteão". A mestiçagem e não *Os Três Mosqueteiros*, *Vinte anos depois* ou *O Conde de Monte Cristo*. Não era a suas obras-primas que Dumas devia seu lugar na necrópole dos Grandes Homens, mas à gota de sangue negro que correra em suas veias. No inverno de 2013, todos os observadores congratulam calorosamente os franceses por terem dado seu voto a um mestiço (o ex-jogador de tênis e agora cantor Yannick Noah), um cabila (Zinedine Zidane, o herói de 1998) e um negro (o ator Omar Sy, herói do filme *Intocáveis*, que romanceia a história real de um grande burguês tetraplégico que se recupera progressivamente graças à vitalidade exuberante de um ajudante proveniente do subúrbio). Não se festeja neles a personalidade, mas a hereditariedade, não os indivíduos, mas os espécimes. E depois, num segundo momento, quando surge algum interesse por suas proezas, é, como no caso do sociólogo Jean Viard, para ressaltar o contraste entre a "criatividade" desses "marginais" e o universo da "reprodução social", o universo "dos pais brancos-normais" que induzem os "filhos brancos-normais" a estudar latim e se preparar para a universidade.

Normal aqui, logo se vê, significa patológico e anacrônico. A norma é morna, a norma é triste, a norma é uma tara em vias de extinção. No idioma de Jean Viard (e na visão da burguesia propagada em *Intocáveis*), os "normais" são vestígios lívidos de outros tempos, relíquias de um país que foi tragado, últimas testemunhas, rígidas e condenadas, do mundo cujo epitáfio Chateaubriand já redigia nas *Memórias d'além-túmulo*: "Certas tribos do Orinoco não existem mais; do seu dialeto, restou apenas uma dúzia de palavras pronunciadas na copa das árvores por papagaios que recobraram a liberdade, como o melro de Agripina, que gorjeava palavras gregas nas balaustradas dos palácios de Roma. Este será mais cedo ou mais tarde o destino dos nossos jargões modernos, destroços do grego e do latim. Um corvo fugido da gaiola do último pároco franco-gaulês dirá, do alto de uma rocha em ruínas, a povos estrangeiros, nossos sucessores: 'Acolham a fala de uma voz que lhes foi conhecida: estarão pondo fim a seu discurso.'"

Espremida entre as admoestações das outras democracias ocidentais e a veemência sem limites das feministas radicais que levam a deserotização dos corpos a ponto de transformar seus pescoços expostos em outdoors de propaganda, a França continua defendendo, ante o desafio do véu islâmico, a relação específica que estabeleceu entre homens e mulheres. Mas será que a França poderá permanecer por muito tempo uma pátria feminina se deixou de ser uma pátria literária? Acontece que ela adotou a grande lei moderna formulada na década de 1960 por Pierre Elliott Trudeau, o primeiro dirigente multiculturalista do Estado canadense: "É preciso avançar com a caravana humana ou morrer no deserto do tempo." Assim é que a França avança e mesmo acelera, e, em nome da diversidade, tida já agora em posição tão alta quanto os três grandes vocábulos do lema republicano, livra-se dos seus mortos, abandona seu velho jargão, sacrifica sem hesitar o melhor do seu ser em nome da revolução tecnológica e da luta contra a discriminação. Essa liquidação quase geral põe de novo na ordem do dia "o sentimento de pungente ternura por uma coisa bela, preciosa, frágil e perecível" que Simone Weil chamava de *patriotismo de compaixão*: "Podemos amar a França pela glória que parece assegurar-lhe uma existência que irá longe no tempo, no tempo e no espaço. Ou podemos amá-la como uma coisa que, sendo terrestre, pode ser destruída, e cujo valor é por isso mesmo tanto mais sensível." Ao escrever *Raça e Cultura*, Lévi-Strauss estava impregnado deste segundo amor.

A guerra dos respeitos

Não foi numa reportagem jornalística nem na investigação de longo curso de um sociólogo de campo que eu li a descrição mais justa da atual crise do viver-junto, mas numa página famosa de um velho livro de filosofia, o *Leviatã* de Thomas Hobbes: "Os seres humanos não sentem qualquer prazer (e sim um grande desprazer) em estar na presença uns dos outros se não houver um poder capaz de fazê-los observar o respeito. Pois cada qual quer assegurar-se de que lhe seja atribuído pelo vizinho o mesmo valor que se atribui, e toda vez que é subestimado tenta naturalmente, na medida da sua audácia, (...) obter pela força que os que o desprezam reconheçam que é maior o seu valor e que o reconheçam pelo exemplo."

Aí está a graça dos autores clássicos. A história das ideias pretende transformá-los em múmias de um pensamento antigo, mas eles não lhe deixam a última palavra. Sendo ao mesmo tempo do seu tempo e do nosso, eles fragilizam a ideia de progresso. Não nos informam apenas sobre o que os grandes intelectos pensavam em outros tempos, lançando sobre o presente uma luz infinitamente preciosa. Nós visitamos o patrimônio, ou seja, o museu das coisas mortas, e de repente uma amostra da nossa vida e do nosso mundo surge em plena luz. Vamos até Hobbes por Hobbes e eis que, sem prévio aviso, ele põe em palavras o que nos acontece. Lendo-o, descobrimos que mais uma vez é ele que nos lê e nos ajuda a entender que a violência característica da França do século XXI não decorre da revolta contra as desigualdades ou da sede de aquisição, mas do desejo de ser respeitado, do sentimento de que não se é, da indignação provocada por uma admoestação, um comentário, um olhar meio torto ou um olhar pura e simplesmente num momento de mostrar obediência. É o árbitro espancado num jogo de futebol amador pelo jogador ao qual faltou ao respeito, ao puni-lo com um cartão vermelho. Ou então o sujeito que faltou ao respeito a minha irmã. São os policiais de Amiens que faltaram ao respeito a um motorista que trafegava na contramão e que por essa provocação pagaram o preço de uma noite de violentas manifestações de rua. É o seu colega de Corbeil-Essones que diz "Vê se se acalma, ô!" a um adolescente virulento, ouvindo como resposta: "Olha como me trata, eu exijo respeito!" É o inspetor agredido por cerca de vinte alunos que se recusavam a parar de jogar no fim do recreio porque ele teve a arrogância de tomar a bola. São os professores que, com suas exigências e admoestações, humilham os alunos cujos trabalhos não consideram satisfatórios. "Ainda guardo na lembrança", escreve Véronique Bouzou, que ensina francês num bairro problemático, "a expressão de um aluno que se aproximou de mim brandindo o dever e perguntando secamente: 'Que nota é essa que você me deu?' Para ele, não restava a menor dúvida quanto ao motivo da nota baixa: era culpa minha, e não dele. Eu consegui que ele reconhecesse sua própria má-fé quando leu em voz alta o dever, perfeitamente incompreensível. Mas temo cada vez mais a reação imprevisível dos alunos que consideram que uma nota baixa é uma falta de respeito e fazem o professor pagar caro por isso." Esse temor ante a percepção da disciplina normal da classe como um insulto ou uma provocação é muito disseminado. Cécile Ernst, professora de ciências econômicas e sociais, conta que um aluno de 15 anos, no primeiro ano do liceu, zombava de qualquer comentário seu e contestava as notas, obrigando-a a fazer uma advertência mais severa. Para levá-lo a refletir, ela o convidou a escrever uma página sobre "Que é a excelência? Que é a mediocridade?" Resposta: "Não se deve nunca usar essas palavras, não temos o direito de julgar os outros, e o medíocre é exatamente aquele que julga..." Essa argumentação, acrescenta a professora, era expressa em meio a erros de ortografia e concordância: "Quem pença isso, eles não tem respeito pelo aluno." O aluno em questão está brigado com a ortografia (mas não no caso de "respeito", palavra que não têm segredos para ele); entretanto, em perfeita harmonia com sua época, costuma recorrer ao argumento relativista do "tudo se equivale" para tentar obrigar aquela que supostamente deveria trazer-lhe o conhecimento e avaliar seus progressos a lhe atribuir o valor que ele mesmo se atribui.

Hobbes escreveu *Leviatã* numa Europa devastada pelas guerras civis. À parte quaisquer cismas religiosos ou antagonismos ideológicos, viu em ação três causas principais de conflito: a competição, a desconfiança e a glória. "A primeira", escreve Hobbes, "leva os homens a atacar pelo lucro; a segunda, pela segurança; e a terceira, pela reputação. No primeiro caso, eles utilizam a violência para dominar a pessoa de outros homens, mulheres, crianças e o gado; no segundo, para defendê-los; no terceiro, por detalhes, como uma palavra, um sorriso, uma opinião diferente e qualquer outro sinal que os subestime, seja diretamente, em sua pessoa, ou por repercussão, no seu parentesco, nos amigos, em sua nação, sua profissão ou no seu nome." Frente a essa violência, Hobbes pensou a política como um meio de civilizar o viver-junto. Legou-nos a ideia de que o Estado não deriva da violência divina, mas da vontade perfeitamente humana de não mais ver a vida perpetuamente exposta aos riscos de confronto. É um pacto de não agressão recíproca que gera o poder soberano e transforma uma multidão vulcânica numa cidade pacífica. Esse pacto pode ser chamado, como faz Renaud Camus, de pacto de *in-nocência*. Cada signatário virtual, com efeito, abre mão da sua *nocência* original, vale dizer, da liberdade que nele existe de causar dano, incomodar, importunar, atentar contra a liberdade dos outros. Os outros fazem o mesmo, o que lhe assegura a tranquilidade e a segurança necessárias para ir até o fim daquilo que ele pode.

Com toda evidência, existe aí um cálculo egoísta. O pacto proposto por Hobbes de in-nocência repousa na "convicção (...) de que todas as partes ganham nessa troca e de que o *mais* que cabe a todos é infinitamente mais valioso que o *menos* de que todos são despojados". Mas o sacrifício do prazer não é decidido unicamente pelo interesse. A razão prática em ação numa tal decisão não se confunde com a razão instrumental. Ela não pode ser reduzida à aplicação da lei universal da natureza segundo a qual, como lembra Spinoza, depois de Hobbes, "ninguém abre mão do que considera um bem, exceto na expectativa de um bem ainda maior". Manifesta-se também um segundo motivo, que assinala a diferença entre os homens e as outras realidades naturais: o respeito. O respeito nos inibe. O respeito nos impõe respeito, impedindo-nos de tomar o mundo como uma "uma força que avança".* O respeito, escreve Kant, é "uma máxima de restrição, pela dignidade da humanidade em uma outra pessoa, da nossa estima de nós mesmos".

Ante o avanço dos comportamentos peremptórios ou violentos reunidos no doce eufemismo de *falta de civilidade*, por todo lado se invoca o respeito. Até *Libération*, o jornal francês gerado pelo espírito de 68, se junta ao coro. Esse espírito, contudo, não induzia propriamente a firmar com os outros um pacto de in-nocência, mas a reinstaurar a inocência e a turbulência das pulsões primordiais. Toda restrição do eu era vista como uma *repressão* exercida contra ele. O compromisso então era romper as cadeias e, na expressão consagrada pelo espírito da época, "não abrir mão do desejo". Era essa a liberação que deu nome ao primeiro diário fundado em nome de uma geração. Mas eis que esse mesmo diário organiza em Rennes (estávamos em abril de 2011) um grande debate nacional em torno do tema "Respeito, um novo contrato social", tendo em seu programa esta estarrecedora observação: "Seria necessário estar isolado da realidade para não ver que o vínculo social se debilitou, que não sabemos mais dizer bom-dia, aceitar o outro na sua diferença, e que, de tanto aceitar esse acúmulo de pequenas indiferenças, acabamos um dia com uma enorme massa de incivilidades que desemboca numa sociedade cada vez mais individualista, violenta, na qual a avidez tende a suplantar a fraternidade." Ironia da história: aqueles mesmos que achavam válido opor aos limites da civilidade as alegrias da espontaneidade, orgulhando-se de ser suficientemente *cool* para dispensar os códigos,

---

* Verso famoso ("*Une force qui va*") de Victor Hugo em *Hernani* (1830), drama-manifesto do romantismo literário, remetendo à tenebrosa força vital do herói que avança cegamente para seu destino. (*N. T.*)

observam assustados o avanço da *nocência*. Seu diagnóstico é irrefutável, e o desvio por Hobbes permite refiná-lo ainda mais. O respeito não é oposto ao irrespeito, à grosseria ou a qualquer outro dos seus antônimos, mas a um homônimo inflado de ardor e convencimento. E a questão toda está em saber se o respeito definido por Kant como "restrição da estima de si mesmo" é que levará a melhor ou o respeito no sentido denunciado por Hobbes, de "vontade manifestada por cada um de que lhe seja atribuído pelo vizinho o mesmo valor que se atribui". Dois regimes de respeito disputam hoje nosso viver-junto.

Mas Hobbes deve ser corrigido num ponto, e esse ponto é capital. A atual guerra entre os respeitos não opõe o homem em estado natural ao homem social, mas revela um autêntico choque de civilizações. Irascível virilidade de um lado; do outro, costumes abrandados pelo que o escritor americano Thornton Wilder graciosamente chamava em outros tempos de *an undertone of respectful flirtation between every man and woman in France*.* Jean-François Chemain, professor de história, geografia e instrução cívica num colégio do subúrbio parisiense, conta, assim, que, numa aula de "sensibilização para a violência", mostrou-se aos alunos uma fotografia de um grupo de adolescentes espancando a murros e pontapés um menor que eles. Convidado a comentar a imagem, o auditório mantém-se calado. O instrutor se espanta: "E então, não vão reagir?" Fica impaciente: "Não estão chocados?" Finalmente, Hameur, parecendo falar em nome dos outros meninos da turma, rompe o silêncio: "Se são vários batendo nele, certamente é porque ele pediu! — Como assim, 'pediu'? — Isso aí, ele deve ter faltado ao respeito, e é por isso que eles estão batendo; caso contrário, por que o fariam?" E Suvayip, outro aluno,

* Um flerte respeitoso implícito entre caos homem e mulher na França. *(N. T)*

corrobora: "Quando um garoto apanha, geralmente é porque faltou ao respeito. Se for uma garota, é porque bancou a gostosa. Não tem nada de chocante. A gente não entende por que é que veio nos falar disso."

Com sua imagem, o instrutor julgava dirigir-se, à parte as diferenças, ao coração dos colegiais. A turma era heterogênea, e ele recorria à sensibilidade comum para denunciar a prática do espancamento coletivo. Mas sua expectativa revela-se ilusória: o coração do público bate pelo bando, e não pela vítima. Morre, assim, a esperança de ver os indivíduos separados pela origem, as crenças e as maneiras de ser e fazer se entenderem em torno de uma definição universal do mal. Nada mais vincula, nem o modelo ideal da vida boa, nem mesmo o que Rousseau considerava uma repugnância *inata* a ver o semelhante sofrer.

No dia seguinte a uma noite de quebra-quebra, uma jornalista de *Le Monde* foi a Amiens-Nord. Observou a triste sucessão de prédios cinzentos, de antenas parabólicas presas às fachadas, as raras lojas que ofereciam alguma animação, e o que mais lhe chamou a atenção foi que "as mulheres estavam desalentadoramente ausentes da paisagem". Uma frase, e tudo foi dito: o tédio abissal e a suscetibilidade à flor da pele que caracterizam os bairros de Amiens-Nord decorrem dessa ausência, desesperadora para aqueles, exatamente, que se apresentam como seus guardiães. "Eles ficam encostados nos muros, e quando saem dali é para jogar no PlayStation", dizia um investigador a respeito dos "jovens" de Échirolles, horas depois da expedição punitiva que, provocada por um "olhar indevido", resultou em duas mortes nessa área pobre da região metropolitana de Grenoble. De tanto querer explicar esses acontecimentos pelo desemprego, a exclusão ou a brutalidade policial, privamo-nos dos meios de preveni-los, fornecendo-lhes de graça um álibi.

Mas o comentário crucial da jornalista do *Monde* é feito de passagem. Ele simplesmente desliza, melancólico e furtivo, sem que seja tirada qualquer conclusão. E não poderia ser de outra maneira: hoje somos obrigados a falar da diversidade com entusiasmo. Trata-se ao mesmo tempo de glorificá-la constantemente e nunca vê-la em ação. Ao mesmo tempo em que se afirma sua importância, nega-se que tenha qualquer incidência. As ciências sociais que a defendem apaixonadamente também defendem com paixão o acesso a ela. A diversidade, repetem, não é um problema, mas uma bênção. Os problemas, quando surgem, decorrem da sua rejeição. Em outras palavras, a época exige que se abra espaço às culturas estrangeiras, mas ao mesmo tempo é formalmente proibido proceder a uma leitura etnológica dos afetos, como por exemplo o sentimento de *humilhação*. Os "dominados" têm todos os motivos de se sentir humilhados e manifestar sua indignação, embora ela possa às vezes assumir formas lamentáveis. O passado colonial e as desigualdades econômicas atuais estão na origem dos comportamentos anormais ou violentos, é como devemos pensar. Glória então às diferenças, mas malditos sejam os que as levam a sério! Viva a diversidade cultural, mas opróbrio ao olhar para o mundo atual que se abalance a levá-la em conta! O elogio é obrigatório, mas a percepção é desprezível, pois o principal é que o conhecimento dos outros não comprometa de modo algum a idealização romântica da alteridade. A realidade é censurada para que a vitrine permaneça imaculada. Todo aquele que ouse infringir a sacrossanta regra metodológica do tratamento social das questões etnorreligiosas cai em desgraça e tem o nome imediatamente inscrito na lista negra do *politicamente correto*.

Detenhamo-nos por um momento nessa expressão, tentando defini-la. O politicamente correto é o conformismo ideológico da nossa época. Com efeito, a democracia, ou seja, o direito de todos à palavra, gera conformismo. Tocqueville foi o primeiro a lançar luz sobre a lógica desse fenômeno paradoxal: "Quando as condições são desiguais e os homens, diferentes, temos alguns indivíduos muito esclarecidos, muito instruídos e muito poderosos pela sua inteligência e uma multidão muito ignorante e muito limitada. As pessoas que vivem nos séculos de aristocracia são assim naturalmente levadas a tomar por guia de suas opiniões a razão superior de um homem ou de uma classe, mostrando-se ao mesmo tempo muito pouco dispostas a reconhecer a infalibilidade da massa. O contrário acontece nos séculos de igualdade." Nesse caso, os homens mostram-se resistentes à própria ideia de uma razão superior, pois para eles o bom senso é o que há de mais comum no mundo. Significaria isso que fazem uso do seu? Não, responde Tocqueville, eles pensam como todo mundo, abrem mão do ato de julgar os outros em benefício da massa indistinta, pois "não lhes parece verossímil que, dispondo todos de igual entendimento, a verdade não esteja com a maioria". Nas épocas democráticas, todas as autoridades tornam-se suspeitas, exceto a autoridade da opinião. Não há poder que a sociedade não conteste, senão, precisamente, o poder social. Esse poder é exercido com eficácia tanto mais temível na medida em que não é sentido como tal pelos que lhe estão sujeitos. Libertado da tradição e da transcendência, o homem democrático pensa como todo mundo, julgando pensar por si mesmo. Não se limita a aderir ao julgamento do público, esposa-o até não mais ser capaz de discerni-lo do seu próprio. Não sacrifica a sinceridade no altar da ideologia dominante, sendo ao mesmo tempo sincero e dócil, individualista e adesista, autêntico e oportunista, querelante e gregário. Seus entusiasmos, suas aversões, suas convicções e até suas indignações refletem o espírito da época, e é no calor da *doxa* do momento que ele desmonta as ideias moribundas e move contra os tabus cambaleantes uma guerra sem trégua.

Tocqueville não sente falta dos séculos aristocráticos. A liberdade como direito igual parece-lhe mais justa — é o que diz expressamente — que a liberdade como privilégio. Mas ele não se conforma em ver a igualdade tutelando o espírito. Não quer ter de escolher entre o domínio insidioso de todos e o império manifesto de um só ou de alguns: "Quando sinto a mão do poder pesando na fronte, pouco me importa saber quem me oprime, e eu não estaria mais disposto a deixar a cabeça na canga por ser esta sustida por um milhar de braços." Essa mão tornou-se ainda mais pesada com o advento dos *mass media*. Como então deixar de corroborar a análise de Tocqueville? Como deixar de admirar sua clarividência premonitória? *Da democracia na América* é o livro de um visionário, e, no entanto, é impossível hoje oferecer à opinião majoritária reinante a mesma resposta, orgulhosa e cortante, do seu autor. Já vimos, mas é bom voltar ao assunto: o politicamente correto não é uma ideologia dominante qualquer. Ele é filho do "Isto nunca mais!" e se investe dessa missão salutar: acabar com as paixões criminosas. Todas as precauções que toma na abordagem e na formulação dos problemas visam a impedir que o gênio da intolerância saia da garrafa. Não se chega ao politicamente correto para fazer como todo mundo ou — conformismo do anticonformismo — para "se distinguir da massa como *todos* se distinguem", mas porque o passado ronda e para evitar a volta do *politicamente abjeto*. É a fobia de todos que hoje pressiona a inteligência de cada um. E essa fobia é legítima.

É mesmo indispensável. Nós temos medo da nossa sombra, e temos razão. Não devemos nunca esquecer que os *dreyfusards** eram minoritários na França do século XIX. Quem nos garante que sua vitória é definitiva? Quem nos garante que, num contexto de crise econômica, desindustrialização maciça, desemprego crônico, circulação alucinante de mercadorias, capitais e pessoas, os herdeiros do dreyfusismo não serão violentamente varridos? Quem nos garante que, incapaz de agir sobre os processos em curso, a maioria não venha a encontrar na designação de bodes expiatórios uma maneira de liberar sua angústia e reconstituir a unidade do corpo social? Quem nos garante, enfim, que estamos nós mesmos imunizados e que os irrepreensíveis doutores Jekyll de hoje não se revelarão, nos sombrios tempos que estão por vir, temíveis misters Hyde? A coesão pode de novo repousar no pior. O sentimento de estar juntos e de formar não um triste aglomerado sem alma, mas uma comunidade viva, pode ser reconstituído frente ao imigrante visto como um invasor transformado em inimigo e acumulando todas as taras. "Quando não se tem controle sobre as coisas, busca-se a vingança contra o Outro", escreve muito justificadamente Jean Daniel, o que já acontece na Grécia, onde os simpatizantes do partido que escolheu o nome estranhamente poético de Aurora Dourada reagem à crise, ou seja, à queda vertiginosa do nível de vida, com ataques às vezes mortíferos aos trabalhadores clandestinos. Entre os dezoito deputados do Aurora Dourada no Parlamento de Atenas está o contrabaixista do grupo

* Simpatizantes do capitão Alfred Dreyfus, militar judeu injustamente acusado de traição, no caso que levou seu nome na França do fim do século XIX, envolvendo paixões polarizadas nas esferas do antissemitismo, do nacionalismo monarquista e da religião católica, essencialmente do lado dos seus acusadores, e do republicanismo democrático e laico, do lado dos defensores. (*N. T.*)

punk Pogrom. Nada semelhante nos outros países europeus. Mas como todos eles perdem seu controle sobre as coisas por causa da globalização econômica e migratória, nenhum pode se considerar livre do fenômeno.

O ventre, portanto, ainda é fecundo, e Hannah Arendt tinha razão ao dizer, numa carta a Gershom Scholem: "A transformação de um povo em horda racial é um perigo permanente em nossa época." Para escapar desse perigo, não basta banir para sempre o uso da palavra "raça" no discurso público. A palavra "cultura" pode cumprir a mesma função funesta, prendendo as pessoas a sua afiliação e absolutizando as diferenças coletivas. Por isso é que seus usuários mais entusiásticos são também os que mais se apressam a negar-lhe qualquer alcance explicativo. Eles querem remediar a arrogância congênita de sua civilização fazendo a apologia da diversidade cultural, mas ao mesmo tempo têm todo cuidado de evitar a queda no essencialismo e de não validar o estilhaçamento da humanidade em totalidades irreconciliáveis. E esse escrúpulo é compreensível. É mesmo imperativo compartilhá-lo, num momento em que não falta quem se incline a fazer com que todos os muçulmanos paguem pelo radicalismo islâmico. Mas temos então o caso de um aluno transferido durante o ano letivo de um estabelecimento particular para um colégio público do departamento de Essonne. Respeitoso sem ser obsequioso, aplicado sem cair no servilismo, ele faz seus deveres, estuda regularmente suas lições, aceita responder a perguntas, oferece-se como voluntário para dissertações. Essa atitude positiva preocupa o corpo docente, pois não pode deixar de exasperar o resto da turma. O que acaba acontecendo: não demora, relata-nos seu professor de francês, e o aluno aplicado torna-se vítima de uma discriminação social, cultural, racial e religiosa. Ganha apelidos: "o francês", "o importante", "intelectual". No pátio, é interpelado: "Você come porco, você é um porco." Outro exemplo: um pai de família pede às puericultoras da creche de Chanteloup-les-Vignes onde deixa o filho que ele seja acordado depois de uma hora de sesta, pois se dormir mais durante o dia fica insuportável. Como sua vontade não é atendida, o pai fica indignado, chamando uma das empregadas de "branquela suja" e exigindo falar com os funcionários muçulmanos. Casos desse tipo, mas também agressões contra os professores, os bombeiros, os farmacêuticos, os médicos, os enfermeiros e os judeus visíveis proliferam nos *territórios perdidos da República* e não podem ser ignorados nem envolvidos na bandeira sagrada da revolta dos esquecidos da terra. Péguy: "É preciso dizer sempre o que se vê. E sobretudo, o que é mais difícil, é preciso ver sempre o que se vê." Ver o que se vê, no caso, é ver a história *não* se reproduzir quando já se está convencido de que vai ler a segunda edição; é ver o mal onde ele se apresenta, ainda que não corresponda à descrição; é ver o ódio à França conjugar-se ao ódio aos judeus mesmo quando, extraindo as devidas lições do século que passou, se basearam o próprio pensamento e a própria ação na solidariedade de destino de todas as vítimas da "ideologia francesa".

A tautologia, portanto, é enganosa. Ver o que se vê não é algo automático, pois, como diz Saul Bellow, fazendo eco a Péguy: "Uma grande quantidade de inteligência pode ser investida na ignorância, quando a necessidade de ilusão é profunda." E não são idiotas nem malvados, mas homens e mulheres de boa vontade que precisam acreditar que a crueldade tem endereço único, o racismo, rosto único, os acontecimentos, um paradigma único, e que todos nós somos judeus alemães, negros, árabes, refugiados e clandestinos. Sem a grande ilusão do *mesmo combate contra o mesmo inimigo*, eles estariam perdidos, não teriam mais a energia necessária para lutar. Neles, o cuidado com o outro daria lugar ao desânimo e depois à indiferença. Resta saber se o preço a pagar pela fidelidade ao ideal deve ser sempre a revogação do mundo real. O Justo continua justo uma vez desvinculado do Verdadeiro? Que há de virtuoso numa moral que não se atém ao dever de clarividência? Onde está a superioridade ética e política dos que nunca se deixam abalar ou inquietar, pois sistematicamente reduzem as novas fraturas da sociedade às figuras conhecidas da repulsa ao estrangeiro e da luta de classes? Seria de fato uma qualidade manter-se imperturbável quando a história se exalta? "Dizer a verdade, toda a verdade, nada mais que a verdade, dizer estupidamente a verdade estúpida, tediosamente a verdade tediosa, tristemente a verdade triste", dizia também Péguy no primeiro número dos *Cahiers de la Quinzaine*. Nem mesmo com as melhores intenções progressistas ou para prevenir toda generalização estigmatizante devemos nos exonerar dessa retidão. Sacrificar a verdade para não alimentar a besta é o mesmo que alimentar a besta dando-lhe a verdade de presente. Existe outra opção ao politicamente correto além do politicamente abjeto, uma alternativa às piedosas escamoteações da desinformação além da demagogia dos partidos de extrema direita, uma outra resposta às auroras douradas do mau pensamento além do conformismo. Lévi-Strauss, como vimos, pode ajudar-nos a sair desse confronto fatal entre a negação e a infâmia. "O racismo é uma doutrina que pretende ver nas características intelectuais e morais atribuídas a um conjunto de indivíduos, como quer que sejam definidos, o efeito necessário de um comum patrimônio genético." Essa doutrina não merece indulgência. Ela é falsa, revelou-se criminosa e não podem ser invocadas circunstâncias atenuantes em seu favor. Mas por sua própria gravidade, manda a honestidade que ela *não seja aplicada a tudo*. Ela não deve ser confundida com "a atitude de indivíduos ou grupos que, pela fidelidade a certos valores, ficam total ou parcialmente cegos a outros valores". Não cabe, portanto, sem agredir o presente e o passado, deduzir da proibição do *hijab* nos estabelecimentos escolares e da burca no espaço público que os estereótipos judeófobos foram transferidos para uma nova figura, alimentando a islamofobia no século XXI. *A fortiori* caberá também eximir-se de interpretar o sentimento antifrancês que se dissemina na França como uma reação de legítima defesa à exclusão, e o antissemitismo que o acompanha com frequência cada vez maior como uma reação infeliz, ou, para falar a língua de Alain Badiou, "uma hostilidade política mal-politizada" ao escândalo perfeitamente real da opressão do povo palestino por Israel. Um ex-dirigente do partido social-democrata holandês, Felix Rottenberg, observa com grande pertinência que "o sentimento de culpa da geração do pós-guerra teve enorme influência no pensamento politicamente correto". Aqueles cujos pais permitiram o triunfo do mal olhando para o outro lado prometeram *abrir os olhos* e jamais transigir com o ódio ao Outro. *O Outro cheio de ódio* não estava do programa. Que fazem eles, então, quando este se revela? Fazem como as gerações anteriores, constata Ian Buruma num ensaio sobre o assassinato do cineasta Theo Van Gogh por um islamita: olham para o outro lado na medida do possível ou então tentam identificar as causas sociais da violência, e quando não conseguem, quando o inimigo declarado não se deixa reduzir a um desempregado acuado ou um oprimido revoltado, transformam-no num psicopata, reagem a seus crimes doutrinários com uma solene advertência contra qualquer tentativa de confundir as coisas e se apressam a voltar à vida normal. Entretanto, como se sentem, ao contrário de seus mesquinhos antepassados, investidos de uma elevada missão moral — dizimar os velhos demônios —, não se limitam a considerar inexistente ou insignificante a realidade rebelde à sua definição do pior: indo de encontro a Lévi-Strauss, lançam a acusação de racismo sobre todo aquele que ouse levá-la em conta. Tal penalidade estimula a cautela: ninguém quer carregar pelo resto da vida a marca da infâmia. Mas é preciso aceitar correr esse risco. É da mais alta relevância não recuar, pois é a inteligência do nosso presente que está em jogo. "Uma civilização que esquece seu passado está condenada a revivê-lo", dizia no início do século XX o filósofo americano George Santayana, e Theodor Adorno, depois da linha divisória hitlerista, estabelecia este novo imperativo categórico: "Pensar e agir de tal maneira que Auschwitz não se repita, que nada semelhante possa acontecer." As duas proposições são irrecusáveis. Mas não podemos deixar de constatar hoje que, cultivando a obsessão de suas horas mais sombrias, nossa civilização esquiva-se obstinadamente ao destino que lhe cabe. Preocupados em lembrar antes de mais nada, em lembrar sempre, esquecemos que o presente, como nos adverte Valéry, é "o próprio estado das coisas *tal como nunca se apresentou até então*".

Mas o estado das coisas não se caracteriza apenas pelo desafio das novas suscetibilidades ao *ethos* nacional e um antirracismo que já não é a recusa intratável do racismo, mas um combate encarniçado contra a realidade e seus emissários. O destino que nos cabe também resulta da força que nos arrasta. Os capítulos anteriores já o deixaram transparecer: nossa civilização não é inocente das ameaças que pesam sobre ela; suas paixões, suas singularidades, mas também seus valores têm sua parte de responsabilidade. Falta-se à vigilância quando se negligencia essa implicação. Sejamos portanto vigilantes e, para isso, comecemos por voltar às origens.

Como a seus olhos o homem era por natureza um animal político, os gregos não precisavam da ideia de contrato social para pensar a sociedade. Através da designação *aidos*, contudo, colocavam a restrição da autoestima na base do que hoje chamamos de viver--junto. *Aidos* é a reserva, a modéstia, o pudor que nascem em nós da interiorização do olhar dos outros. O *aidos* permite à criança ainda *alógica* receber a marca da transmissão e assim aceder ao *logos*. Como demonstra Solange Vergnières num belíssimo comentário sobre Aristóteles: "A criança que tem o senso do pudor não é apenas escrava dos próprios apetites e medos, situa-se na órbita da sociedade dos homens, cuida da imagem visível que apresenta de si mesma e por isto é que ouve o que lhe dizem."

Encontramos uma correspondência judaica dessa disposição respeitosa na concepção rabínica do estudo. "Sem temor não há sabedoria", dizem, justamente, os mestres. Um grande talmudista do século XIX, felizmente resgatado por Benjamin Gross e Emmanuel Levinas, o rabino Haim de Volozine, acrescenta este maravilhoso comentário: "A escritura compara a Torá aos produtos da colheita, e o temor de Deus a uma granja onde esses produtos são guardados e conservados. O temor de Deus é a granja onde é conservada a sabedoria da Torá. Se não tivermos previamente o cuidado de preparar a granja do temor, a abundante safra da Torá ficará jogada no chão, podendo ser pisada pelo boi e o asno e se estragando."

A modernidade, que é a era da autonomia, ou seja, da coragem de pensar por si mesmo, nem por isso acabou com a máxima dos Sábios. Os modernos não são mais tementes a Deus, mas sem temor não há cultura. As obras do patrimônio são abordadas com modéstia e recolhimento. Elas impõem respeito. Nossos mestres, nossos pais, nossos antecessores fazem o seu elogio, e nós confiamos neles. Que é um clássico, com efeito? É um livro cuja aura é anterior à leitura. Não receamos que nos decepcione, e sim que nós o decepcionemos, não nos mostrando à altura. Nós admiramos antes de entender, e se entendemos é porque a admiração se impôs e forçou os obstáculos. O *a priori*, no caso, não é um prejulgamento, mas uma condição da inteligência. Assim se dá a transmissão da cultura, assim descobrimos a *Eneida, Rei Lear* ou *Em busca do tempo perdido.*

Esse temor ao qual os Tempos Modernos souberam abrir espaço está caduco hoje. E a educação, pela primeira vez em sua história, não pode mais contar com o *aidos*. Enquanto o narrador de *L'Irrévolution* se queixava de ter alunos "muito limpos, muito polidos e muito bem-comportados" que se levantavam quando ele entrava na sala e o chamavam de "Senhor", é a queixa ou, mais exatamente, a perplexidade inversa que se faz ouvir por todo lado. Citarei três exemplos. Aymeric Patricot, *Autoportrait du professeur en territoire difficile* [Autorretrato do professor em território difícil]: "Trinta crianças que não temem a autoridade porque simplesmente não sabem o que é. Trinta crianças cujo maior prazer é a provocação, a agressividade, a balbúrdia. (...) Como controlá-las quando falam o tempo todo ao mesmo tempo e se recusam a atender até mesmo às exortações mais moderadas, senão por frases lapidares como 'Me deixa', no caso dos mais educados?" Iannis Roder, *Tableau noir. La défaite de l'école*: "Ligada ao dinamismo, a espontaneidade é destacada como uma qualidade. Sim, eles são difíceis, mas são dinâmicos e espontâneos. Esse clichê da espontaneidade também precisa ser questionado." Com efeito, observa o professor, com a abolição da censura, não é a criatividade de cada um que triunfa, mas o descaramento de todos: "'Senhor, estou com vontade de fazer cocô', 'estou com diarreia, preciso ir ao banheiro'. Essa ausência de limites é completada por uma ausência de hierarquização não só da linguagem, mas também das relações humanas. Os alunos se dirigem ao professor como se dirigem aos colegas. Todo mundo é colocado no mesmo nível, exatamente como são desconhecidos os níveis de linguagem." Mara Goyet, finalmente, *Tombeau pour le collège* [Túmulo para o colégio]: "Às vezes as aulas ficam parecendo orgias fisiológicas: comer, ir ao banheiro, chupar pirulito, ir à enfermaria, se balançar, deitar na cadeira, fungar, tossir, bocejar, às vezes peidar, falar, falar, comentar: 'Olha lá, um avião; ei, acabou minha tinta; tem aula de francês às duas horas; onde eu botei meu lápis?', sentir, tocar. O corpo, grande esquecido das salas de aula comportadas, sentadas e silenciosas, volta a galope. Essa propensão a mastigar, chupar, cuspir, deglutir, falar é terrivelmente incômoda de observar."

Como vimos, certos alunos se recusam a estudar *Tartufo* e se sentem insultados pela história quando ela ousa fazer-se nacional. Está em ação aqui um outro fenômeno ainda mais preocupante, pois ao mesmo tempo mais elementar e mais fundamental: o desaparecimento do *aidos* e a grande invasão dos corpos. O *aidos* se apaga, os corpos se soltam. Esse fenômeno de fato chega ao paroxismo nos bairros "problemáticos", mas não se limita a eles. Mara Goyet, tendo sido transferida para o centro de Paris depois de ensinar durante quinze anos no subúrbio, constata que lá também a falação é flagelo que precisa ser constantemente contido. Donde o título desmoralizante do livro que ela extraiu de sua mais recente experiência: *Collège brutal* [Colégio Brutal]. "Todo mundo sabe, é público e notório, o sistema está botando água por todos os lados", escreve ela.

Mas então, que fazer? Retomando a inspiração dos fundadores da escola republicana, o governo francês tomou a decisão de incluir a moral laica no currículo escolar primário e de segundo grau.

Essa moral que se destinava a combater a influência do catecismo tinha humildemente deixado a cena debaixo das vaias da moral libertária e do sarcasmo da crítica social. Se de fato o mal humano se explica exclusivamente pela opressão, se na origem dos comportamentos aberrantes e delinquentes está a disparidade das situações, cumpre fazer política e mudar o sistema, para que as situações mudem, em vez de moralizar e culpar os infelizes pela injustiça do sistema. Essa crítica transformou-se em vulgata. Ela molda a mentalidade da nossa época e serve de automática justificação a todas as violações das regras do viver-junto. Insultos, agressões, depredações, tráfico, intimidação e chantagem, tumulto: sociólogos assíduos da própria depravação, os culpados se apresentam como vítimas e se espantam que alguém queira negar-lhes ou lhes contestar essa qualidade, com a veemência de um Rousseau ao acusar os ricos de tê-lo obrigado, ao roubar o pão dos seus filhos, a interná-los num orfanato. Com uma perícia de pesquisadores científicos, eles diluem o conceito de erro no de *dificuldade* e transferem a responsabilidade pelas suas infrações para a sociedade, ou seja, no caso, para o racismo, a desigualdade de oportunidades, as promessas não cumpridas do Estado previdenciário ou os desmandos do Estado policial. É essa consciência tranquila na incivilidade que provoca a volta da moral laica à escola. Ante o álibi oferecido pela crítica social à selvagização do mundo, redescobre-se o princípio antirrousseauista do socialista Orwell: "Certas coisas não se fazem", quaisquer que sejam as circunstâncias. Com a moral laica, a educação nacional não reativa a guerra entre as duas Franças, ela enfrenta a crise do *aidos* e responde ao sociologismo difuso da *doxa* adolescente com a constituição da *decência comum* em matéria de ensino. Essa moral servirá para lembrar aos alunos que eles não são apenas titulares de direitos, que não têm apenas *créditos* a cobrar, mas também obrigações a cumprir e uma *dívida* a quitar em relação ao trabalho dos antepassados, às vantagens da civilização, às instituições republicanas. Servirá também para ensinar-lhes a responder por seus atos e, acordando para a realidade do outro, distinguir entre liberdade e prazer.

A iniciativa é louvável. Mas está condenada ao fracasso, pois entra em contradição com as outras coisas que a escola quer e faz. Esses jovens que se trata agora de formar para o respeito foram dispensados do *aidos* exatamente por ela, como vimos, num grande elã democrático, ao acolhê-los precisamente como jovens, ou seja, não como seres inacabados, mas como sujeitos soberanos, e ao optar, por respeito a eles, por abrir espaço cada vez maior a suas exigências, preferências e impaciências. Não é mais aos jovens que a instituição escolar recomenda que moderem suas pretensões e prestem atenção, mas aos mestres. No fim do século passado, o ministro do setor foi claro: "Existe no ensino uma tendência arcaica que pode ser assim resumida: eles têm apenas de me ouvir, sou eu que sei. Só que isto acabou. Os jovens e mesmo os muitos jovens não querem mais saber disso. O que eles querem é interagir." Graças às novas tecnologias, a vontade das crianças e dos adolescentes logo seria feita; a digitalização a toda prova está em vias de abolir essa última forma de servidão: a aula magistral. E quando lhe perguntam se o rearmamento moral da escola não implica que os alunos levantem quando o professor entra na sala, Vincent Peillon, o atual ministro da Educação Nacional, responde, tão categoricamente quanto Claude Allègre:* "Não é essa a questão. Não devemos confundir moral

* O ministro (no governo socialista de Lionel Jospin, 1997-2000) responsável pelo comentário sobre a "tendência arcaica". (*N. T.*)

laica com ordem moral." Em outras palavras, estão na esfera da ordem moral todos os dispositivos e ações que vão de encontro à essencial igualdade entre os seres. Na escola, ninguém se levanta, ninguém se inclina diante de nada. Ao mesmo tempo em que promete o respeito, a democracia proscreve a transcendência, e a instituição acata.

Camille Laurens conta num de seus livros (*Dans ces bras-là* [Nestes braços]) o pesadelo vivido por seu marido, professor de inglês numa zona de educação prioritária.* Num dia como outro qualquer, ele volta para casa, tira o sobretudo e ela vê nas costas do seu paletó manchas de tinta azuis e negras. Ele se vê então defrontado com o óbvio: "Seus alunos encontraram uma maneira simples e silenciosa de se divertir: quando ele escreve no quadro ou passa entre as carteiras para ajudá-los individualmente, eles projetam nas suas costas com um movimento seco do punho, como se atirassem flechas, um jato de caneta-tinteiro." No dia seguinte, ele faz um esclarecimento diante da turma: fala "do respeito pelo outro, diz que não se deve nunca sujar os outros, de maneira alguma". Ele é ouvido, mas não é escutado. A brincadeirinha continua como antes, pois — é este o seu crime — ele se apresenta sempre muito arrumado. No reinado absoluto da descontração, ele tem a petulância de se vestir com esmero. Em vez de trajar o uniforme mole — jeans e camiseta — dos alunos e da maioria dos professores, ele se julga no direito de ir ao colégio com ternos e gravatas comprados em Londres. Em suma, não se mistura à massa, é uma

* No sistema francês de ensino, as zonas de educação prioritária são aquelas onde se encontram — em particular em áreas socialmente problemáticas — estabelecimentos dotados de recursos excepcionais e maior autonomia para enfrentar dificuldades de ordem social e escolar. (*N. T.*)

exceção, mantém-se distante, separado, e as manchas maculam dia após dia seu paletó para punir essa intolerável provocação, sua elegância. A turma que encarna a norma quer obrigar o professor refratário a entrar na linha. Para que ceda, inflige-lhe um suplício cotidiano. E ele é aniquilado por essa perseguição metódica e muda. Perde o gosto de viver. Fica prostrado em casa, horas e horas. Então sua mulher, não aguentando mais, escreve ao inspetor geral de inglês. Três semanas depois, o destinatário responde: "Sua esposa está muito gentilmente preocupada com sua situação profissional. Creio que o senhor precisa examinar sua prática pedagógica com lucidez e certo distanciamento. Trata-se de um novo posto, é verdade que um pouco difícil, ao qual precisará adaptar-se. Com efeito, é desejável que professores como o senhor ensinem às crianças mais desfavorecidas — para a escola, é uma questão de democracia; para os jovens, uma garantia de sucesso e igualdade; para o senhor, uma experiência muito enriquecedora. Além disso, recuso-me a acreditar que se possa enxergar tudo de maneira sombria durante muito tempo quando se vive no país de Paul Valéry e Georges Brassens. Queira aceitar, caro colega..."

Pobres mas "esbeltos, austeros, de trajes bem-talhados", os primeiros professores eram uns dândis, a darmos crédito a Péguy. Os tempos mudaram: democratizando-se, a República baniu essa altivez e mandou andar os "hussardos negros",* para grande satisfação dos pais de alunos. Estes, com efeito, perderam em sua maioria o respeito pela escola. Em caso de comportamento

---

* *Hussards noirs* foi como ficaram conhecidos, em virtude do uniforme negro de aspecto quase militar que usavam, os professores da escola pública francesa depois das leis que, na passagem do século XIX para o século XX, tornaram o ensino gratuito obrigatório e leigo. (*N. T.*)

perturbador do filho, acusam o professor de não controlar a turma, e, em caso de dificuldade escolar, acusam-no, como ao inspetor, de ser um mau pedagogo: em vez de se adaptar aos alunos, ele espera que os alunos se adaptem a ele. Esses novos pais não representam mais em casa o ponto de vista da escola, tendendo a tornar-se decididos e resmungões delegados sindicais da progenitura. Defendem o seu bem-estar frente às exigências dos mestres, e sua principal federação milita tanto mais ativamente pela eliminação dos deveres, notas e repetições de ano por viver numa época democrática em que todos os indivíduos, até mesmo as crianças, são reis. A destituição do *aidos* é a outra face dessa coroação universal.

Ao antropólogo de outro país ou outro planeta que se perguntasse como é que todo mundo pode ser monarca, caberia recomendar, por exemplo, o filme *A guerra está declarada*. Tendo despertado enorme entusiasmo na imprensa e no público, o filme de Valérie Donzelli conta a pungente história de uma criança pequena acometida de um tumor no cérebro. Ela é operada. A operação tem êxito. Mas os médicos estimam em 10% suas chances de sobreviver. Os pais recusam-se a se entregar ao desespero e a desistir. Decidiram lutar. Acompanham o menino no interminável calvário de seus terríveis tratamentos. E o tumor é vencido. O filme endossa, assim, a tese de que a doença é uma guerra que pode ser vencida, como se aqueles que são atingidos por ela e os que os cercam fossem soldados medíocres. Mas deixemos para lá. Anos depois da operação, a família visita o cirurgião, que lhes dá a boa notícia da cura definitiva. Como para validar o diagnóstico, o menino, que cresceu, imediatamente mergulha nas delícias virtuais de um jogo de vídeo. O tablete lúdico fecha o parênteses da longa e terrível doença. De olhos grudados na tela, o herói retoma uma vida normal. Tudo volta à ordem. Uma ordem em que a polidez não tem lugar. Jamais ocorreria aos pais botarem o PlayStation de lado e dizer ao menino que esperasse o fim da consulta para se divertir. A despreocupação é um direito de que ele foi privado durante muito tempo e do qual precisa desfrutar sem demora. Ele já está mais que entrado no que se chamava em outros tempos de idade da razão, mas obrigá-lo a estar onde está, a ouvir a conversa e — por que não? — agradecer ao seu salvador seria exercer sobre ele uma violência que os pais dos pais exerciam sobre estes, e os avós sobre os pais. Eles querem romper com essa tradição coercitiva. As boas maneiras, é o que vemos desde o momento em que o casal se apaixona à primeira vista, e ao longo de todo o filme, conduzido num ritmo frenético, não são para eles. Como tampouco a disciplina. Eles são *cool*. Não dão bola para nada: rejeitam as obrigações e os protocolos em nome da liberdade, o formalismo em nome do imediato, os artifícios em nome da naturalidade, a mentira das aparências em nome da autenticidade dos sentimentos, a observância dos ritos em nome da religião do coração. Não querem mais ser pais burgueses, mas pais democráticos. Onde reinava a inibição e grassava a desigualdade deve prevalecer o direito de cada um ser como é.

O que eles esqueceram, no entanto, em seu fervor igualitário e libertário, é que as formas burguesas têm um fundamento moral. Elas não revelam apenas um ser ou uma posição de classe. Elas permitem ouvir, até na comédia social, a preocupação com o outro. Ao observar as formas, eu respeito um uso, naturalmente, desempenho um papel, sem dúvida, e talvez traia minhas origens. Mas, sobretudo, como bem mostrou Hume, comunico ao outro ou aos outros que eles contam para mim. Eu os saúdo, inclino-me diante deles, tomo nota de sua existência *atenuando a minha*.

A criança entregue ao seu egocentrismo natal e às novas tecnologias faz o contrário: declara a inexistência da pessoa que tem diante de si. Anula uma realidade exterior à qual, em outras épocas, teria de se ajustar. É verdade que se trata de uma criança calma, ao contrário dos alunos petulantes de Mara Goyet, Aymeric Patricot e Iannis Roder. Sua tranquilidade e seu mutismo contrastam com a agitação dos outros, mas esse contraste é enganador. Ao começar assim sua carreira de ser humano, ela corre sério risco de se juntar mais tarde ao incontável bando dos sem-vergonha: aqueles que não ouvem o barulho que fazem; aqueles que, com os fones nos ouvidos, atravessam o mundo sem ver ninguém; aqueles que telefonam em público e insultam o confidente involuntário de seus pequenos tumultos ou suas grandes dores quando ele decide lembrar-lhes sua presença. A pretexto de não inculcar o automatismo, os pais de *A guerra está declarada* faltam com seu dever de ensinar a atenção.

Mas os mesmos pais, num outro momento do filme, deixam transparecer sua hostilidade visceral à Frente Nacional e suas teses xenófobas. Eles extraíram as lições da história, realmente. Entre o Mesmo e o Outro, não transigem, escolhem o Outro e não perdem oportunidade de deixá-lo claro. Assim, enquanto desaparecem, juntamente com as formas, os cuidados em relação ao outro empírico, o culto ideológico do Outro chega ao auge. O fascismo não passará, mas a grosseria se instala.

O *aidos*, pagamos um preço para sabê-lo, não é uma disposição natural. A natureza é desavergonhada, a vergonha é um segundo movimento que cabe aos pais propiciar. Mas hoje eles resistem a assumir esse papel. O antigo regime familiar exigia que seu filho fosse *bem-educado*. Assim, eles o ensinavam, como escreve muito bem Marcel Gauchet, "a se considerar um entre outros". O novo regime quer que ele *se realize*. E assim os pais o deixam divertir-se como quiser com a maior frequência possível. Permissivos e não punitivos, eles se eximem de limitar suas pretensões, mesmo em público. Essa ruptura com o Velho Mundo traduz-se no abandono das velhas figuras institucionais do pai e da mãe. Papai e mamãe se aposentaram. E, no fim das contas, por que haveriam de sufocar a espontaneidade infantil, proibindo uma prática que todo mundo considera cultural? A democracia, com efeito, levou a melhor sobre a cultura geral. Substituiu-a, sem aviso prévio, pela cultura *generalizada*. Tão simpático quanto seu antecessor era severo, esse neoconceito comporta tanto os jogos eletrônicos quanto as obras do patrimônio. Nenhuma oferta, nenhum conteúdo, nenhum programa lhe é estranho. Nada lhe desagrada. Em seu imenso domínio, nada é superior a nada. Sob o efeito de um movimento de uniformização que nada indica *possa deter-se em algum lugar*, como frisa Alain Renaut num livro intitulado *La Libération des enfants* [A libertação das crianças], as antigas hierarquias se estilhaçam. Havia uma distinção entre o lazer e o tempo livre, a arte e o divertimento, a vida com o pensamento e a vida no embotamento, a cultura e o resto. Hoje *o resto se vinga*: no momento em que tudo converge para um mesmo suporte, essas distinções são consideradas elitistas e portanto inaceitáveis pelo espírito da época. Assim é que o jornal *Le Monde* comenta a publicação da deprimente pesquisa de Olivier Donnat (citada acima) sobre os comportamentos culturais dos franceses entre 1973 e 2008 num editorial eufórico: "O incrível apetite cultural dos franceses". As estatísticas de fato indicam que é cada vez menor o número de leitores de livros e que o público de concertos de música clássica ou erudita envelhece, inexoravelmente, mas "sai pra lá, Cassandra!", a cultura não está mais onde a situa a velha burguesia para melhor saborear a própria importância. Agora, a quantidade e a comunhão dos espectadores é que determinam a qualidade das obras: "O filme *Intocáveis* foi visto por dezessete milhões de espectadores, e os franceses se revelam apreciadores de grandes eventos culturais, de acontecimentos reunificadores, de teatro, concertos de rock e salas de cinema nas quais o tamanho da tela certamente tem menos importância que a presença coletiva, a presença do aqui e agora, da emoção compartilhada."

Esse espírito pós-humanista se gaba de ser mais humano que o humanismo. Recusa-se a qualquer triagem entre os homens. Em outras palavras, desmonta-se "a granja do medo", não é pelo prazer niilista da destruição, mas para não deixar ninguém à beira do caminho nem fora da festa. Contra a crueldade da discriminação, ele brande o estandarte do reconhecimento universal. Contra a aristocracia do gosto, defende a comunhão popular, e contra os danos da vergonha, favorece a eclosão do *pride*. Sob sua égide, cada religião, cada minoria, cada opinião individual exige ser tratada em condições de igualdade com todas as outras, e entramos assim, como diz Philippe Muray, na "era do orgulho".

A era do orgulho: a expressão não podia ser mais acertada. Mas depois de achar graça voltemos a ler Pascal: "Nós temos uma ideia tão elevada da alma do homem que não toleramos ser por ela desprezados e não estar na estima de uma alma; e toda a felicidade dos homens consiste nessa estima." Voltemos a ler Simone Weil: "O homem é feito de um jeito que aquele que esmaga não sente nada; e aquele que é esmagado sente tudo." Voltemos a ler Hegel, que, não querendo deter-se onde se detiveram Hobbes e Kant, pôs a temática do reconhecimento no cerne da *Fenomenologia do espírito*. Nós não somos seres destinados apenas à perseverança no ser. Esperamos outra coisa da existência, além da satisfação de nossos apetites. Mesmo saciados, temos *os nervos em carne viva*, pois vivemos para ser reconhecidos, e o reconhecimento nunca é certo, nunca é definitivo. O simbólico é tão real quanto a realidade material, as feridas do amor-próprio não causam menos sofrimento que as doenças do corpo. Os indivíduos ou os grupos sofrem um prejuízo tangível quando a sociedade circundante lhes devolve uma imagem depreciativa deles mesmos, pois muitas vezes essa imagem é interiorizada. Eles prolongam pela autodepreciação o desprezo de que são objeto. Avalizam à própria revelia o veredito de anomalia ou insuficiência baixado a seu respeito. Tomando o exemplo das mulheres, dos negros e dos povos indígenas da América do Norte, Charles Taylor escreve muito justificadamente: "A falta de reconhecimento não trai apenas um esquecimento do respeito normalmente devido. Ela pode infligir uma cruel ferida, prostrando suas vítimas com um ódio de si mesmas paralisante. O reconhecimento não é apenas uma polidez com as pessoas: é uma necessidade vital." Nesse ponto, o politicamente correto tem razão: é preciso abrir lugar para o multiculturalismo.

Mas talvez não todo o lugar. Em nome do respeito às minorias, as universidades americanas resolveram na última década do século XX rever aquilo que lá é chamado de cânone, ou seja, alterar a relação dos grandes textos clássicos. Tratava-se de romper com o humilhante monopólio dos DWEMS (Dead White European Males) para permitir aos vivos não brancos, não europeus e mulheres identificar-se com o(a)s autore(a)s oferecido(a)s à sua admiração. Como se fosse possível identificar-se com Platão, sentir-se representado por Henry James ou apreciar em Spinoza um duplo de si mesmo. Como se esses autores, e por sinal também Hannah Arendt ou Virginia Woolf, não nos remetessem antes de mais nada, quem quer que sejamos e quaisquer que sejam nosso "gênero" e nossa origem, aos nossos limites, à nossa finitude. Como se o seu gênio não nos infligisse uma salutar ferida narcísica. Como se — e aqui estou citando Leo Strauss — "a educação liberal que consiste numa permanente troca com os grandes espíritos" não fosse um "treinamento para a modéstia mais elevada, para não dizer para a humildade".

Mas quem ainda fala de humildade? Não existe hoje ferida do eu que não clame por justiça nem reclame reparação. A sociedade democrática exige o reconhecimento de todos por todos. Espera, com a satisfação dessa exigência, exorcizar os malefícios da intersubjetividade e resolver o problema humano. Mas em vez disso lisonjeia as suscetibilidades excitáveis, sustenta o narcisismo vingativo das grandes e das pequenas diferenças e toma na guerra dos respeitos o partido catastrófico de combater toda restrição da estima de si mesmo.

O regime exangue e o processo inexorável

Eu dizia no início que a mudança não é mais o que fazemos, mas o que nos acontece, e que o que nos acontece, na França e numa Europa que se tornou contra a vontade continente de imigração, é a crise do viver-junto. Além disso, dei-me conta, no caminho, de que estamos implicados naquilo que nos acontece. Não o queremos, mas contribuímos para isso. Soamos o alarme e orquestramos o desastre. Pregamos a paz e alimentamos o ódio. Preocupamo-nos com o aumento da incivilidade e desqualificamos o *aidos*. Denunciamos os males do niilismo e, movidos pela paixão igualitária, empreendemos o combate contra a discriminação até um ponto em que tudo acaba se equivalendo. "O céu", já dizia Bossuet, "acha graça das orações que lhe são endereçadas para tirar do caminho os males cujas causas se persiste em desejar."

Se há uma crise do viver-junto, a democracia contemporânea não pode considerar-se quite, pois ela não é apenas um regime *político* (o governo do povo pelo povo), é também um movimento, uma dinâmica, um processo *histórico* de eliminação das fronteiras e nivelamento das diferenças: enquanto as desigualdades econômicas perduram (e mesmo se aprofundam, com ricos cada vez mais ricos e um aumento sensível do número de pobres), as condições se assemelham mais, as hierarquias se achatam e as distinções se apagam. O regime dissimula, sob a pressão e o alarido das disputas eleitorais, a crescente incapacidade da política de mudar o curso das coisas, administra no dia a dia a desintegração nacional, acompanha como pode as consequências de uma transformação demográfica que não foi objeto de qualquer debate, nem sequer decidida por alguém. Enquanto isso, o processo prossegue em seu trabalho de indiferenciação. O regime é uma forma cansada; o processo, "uma força que avança". Por mais que aquele fale e se bata, o poder lhe escapa. O avanço deste não conhece limites, arrombando todas as portas. Ele encontra até mesmo um precioso reforço na suspeita lançada pela história sobre a vontade de sair do indiferenciado pela afirmação e mesmo a simples assunção da identidade nacional.

A situação seria irremediável? Sim, se a vigilância imposta pelo passado continuar a nos deixar sem condições de perceber a irredutível novidade da realidade presente. Não, se finalmente acertarmos nossos relógios, optarmos por encarar e não entregarmos sem luta a ideia e a prática da democracia ao processo que tem o mesmo nome. O tempo urge.

Bibliografia

A mudança não é mais como era

Goethe citado em Thomas MANN, *Considérations d'un apolitique*, tradução de Louise Servicen, Jeanne Naujac, Grasset, 1975

Charles PÉGUY, Cahiers de la Quinzaine VIII, XI, in *Œuvres en prose complètes II*, Gallimard, coleção "Bibliothèque de la Pléiade", 1988

Stéphane HESSEL, *Indignez-vous!*, Éditions Indigène, 2010

François FURET, *Le Passé d'une illusion*, in *Penser le XXe siècle*, Robert Laffont, coleção "Bouquins", 2007

Haut Conseil à l'intégration, *Les Défis de l'intégration à l'école. Recommandations relatives à l'expression religieuse dans les espaces publics de la République*, La Documentation française, 2011

Ossip MANDELSTAM, "Le Premier de janeiro de 1924", in *Tristia et autres poèmes*, tradução de François Kérel, Gallimard, coleção "Poésie Gallimard", 1982

Catherine WIHTOL DE WENDEN, *La Globalisation humaine*, PUF, 2009

Leigos contra leigos

Élisabeth BADINTER, Régis DEBRAY, Alain FINKIELKRAUT, Élisabeth DE FONTENAY e Catherine KINTZLER, "Profs, ne capitulons pas!", *Le Nouvel Observateur*, 2 de novembro de 1989

Entrevista com David KESSLER, in *Le Débat*, nº 77, novembro-dezembro de 1993, dossiê "Laïcité".

Jules FERRY, "Lettre aux instituteurs", in *Laïcité*, seleção e apresentação de Henri Pena-Ruiz, Flammarion, coleção "GF", 2003

"Circulaire Bayrou" in Guy COQ, *Laïcité et République, le lien nécessaire*, Éditions du Félin, 2003

Emmanuel KANT, *Qu'est-ce que les Lumières?*, tradução de Jean-François Poirier e François Proust, Flammarion, coleção "GF", 1991

Ferdinand Buisson citado em Claude NICOLET, *L'Idée républicaine en France (1789-1924)*, Gallimard, 1982

Monsenhor Freppel citado em Jacques JULLIARD, *Les Gauches françaises, 1762-2012. Histoire, politique et imaginaire*, Flammarion, 2012

Laurent LAFFORGUE, "L'école victime de la confusion des ordres", in *Conférence*, nº 22, primavera de 2006

Pierre Waldeck-Rousseau citado em Jacques JULLIARD, *Les Gauches françaises, op. cit.*

Pierre Bayle, *De la tolérance. Commentaire philosophique*, Presses Pocket, 1992

Denis Diderot, artigo "Intolérance" da *Encyclopédie*, in Véronique LERU, *Subversives Lumières. L'Encyclopédie comme machine de guerre*, CNRS Éditions, 2007

Benjamin CONSTANT, *De la liberté chez les Modernes*, Hachette, coleção "Pluriel", 1980

PASCAL, *Les Pensées*, Éditions du Cerf, 2005

Léon BRUNSCHVICG, *Écrits philosophiques*, tomo I, *L'humanisme de l'Occident*, PUF, 1951

Charles PÉGUY, *De Jean Coste, Œuvres en prose complètes I*, Gallimard, coleção "Bibliothèque de La Pléiade", 1987

Christian BAUDELOT, Marie CARTIER e Christine DETREZ, *Et pourtant ils lisent...*, Éditions du Seuil, 1999
ALAIN, *Propos sur l'éducation*, PUF, coleção "Quadrige", 1986
François DUBET, *Le Déclin de l'institution*, Éditions du Seuil, 2002

Miscigenação francesa

Claude HABIB, *Galanterie française*, Gallimard, 2006
Hélé BÉJI, *Islam Pride*, Gallimard, 2011
Fethi BENSLAMA, *Déclaration d'insoumission à l'usage des musulmans et de ceux qui ne le sont pas*, Flammarion, 2005
Baltasar GRACIÁN, *L'Homme de cour*, tradução de Amelot de La Houssaye, Gallimard, coleção "Folio classique", 2010
David HUME, "De la naissance et du progrès des arts et des sciences", in *Essais moraux, politiques et littéraires*, tradução de Gilles Robel, PUF, 2001
VOLTAIRE, *Candide*, Hachette, Le Livre de Poche, 2011
MOLIÈRE, *L'École des femmes*, Gallimard, coleção "Folio classique", 2000
______, *Le Sicilien ou l'Amour peintre*, in *Œuvres complètes 3*, Flammarion, coleção "GF", 1965
Edith WHARTON, *Les Mœurs françaises et comment les comprendre*, tradução de Jean Pavans, Payot, 2003
TAHTÂWÎ, *L'Or de Paris. Relation de voyage, 1826-1831*, tradução de Anouar Louca, Editions Sindbad, 1988
Joan Wallach SCOTT, *The Politics of The Veil*, Princeton University Press, 2007
Baruch SPINOZA, *Traité des autorités théologique et politique*, tradução de Madeleine Francès, Gallimard, 1954
Christine BARD, *Une histoire politique du pantalon*, Éditions du Seuil, 2010
Iannis RODER, *Tableau noir. La défaite de l'école*, Denoël, 2008

Saint-Just, *L'Esprit de la Révolution*, 10/18, 2003
HEGEL, *Leçons sur la philosophie de l'histoire*, tradução de Jacques Gibelin, Vrin, 1963

A vertigem da desidentificação

Edmund BURKE, *Réflexions sur la Révolution de France*, prefácio de Philippe Raynaud, Hachette, coleção "Pluriel", 1989
RABAUT-SAINT-ETIENNE, *Considérations sur les intérêts du tiers état*, 1788 [acesso online em Gallica.bnf.fr]
Joseph DE MAISTRE, *Considérations sur la France*, in *Œuvres*, Robert Laffont, coleção "Bouquins", 2007
Maurice Barrès citado em Zeev STERNHELL, *Maurice Barrès et le nationalisme français*, Editions Complexe, 1985
Adolf Hitler, *Mein Kampf*, citado em Dominique VENNER, *Le Siècle de 1914*, Pygmalion, 2006
Marcel COHEN, *À des années-lumière*, Éditions Fario, 2013
Vladimir Jankélévitch citado em François Azouvi, *Le Mythe du grand silence. Auschwitz, les Français, la mémoire*, Fayard, 2012
J.C.F. von Schiller, "Qu'est-ce que l'histoire universelle et pourquoi l'étudie-t-on?", in François HARTOG, *Croire en l'histoire*, Flammarion, 2013
Léon Blum, "Déclaration à la Chambre, 9 juillet 1925", in Jacques ANDREANI, *Identité française*, Odile Jacob, 2012
Jean-Marc FERRY, *Europe, la voie kantienne. Essai sur l'identité postnationale*, Éditions du Cerf, 2005
Ulrich BECK, *Qu'est-ce que le cosmopolitisme?*, tradução de Aurélie Duthoo, Aubier, 2006
———, "Comprendre l'Europe telle qu'elle est", in *Le Débat*, n° 129, março-abril de 2004
Leszek KOLAKOWSKI, "Où sont les barbares? Les illusions de l'universalisme culturel", in *Le Village introuvable*, tradução de Jacques Dewitte, Editions Complexe, 1986

Régis DEBRAY, *Éloge des frontières*, Gallimard, 2010

Julien BENDA, *Discours à la nation européenne*, Gallimard, coleção "Folio essais", 1979

Gianni VATTIMO, *Après la chrétienté. Pour un christianisme non religieux*, tradução de Frank La Brasca, Calmann-Lévy, 2004

Alain BADIOU, *De quoi Sarkozy est-il le nom?*, Nouvelles Éditions Lignes, 2007

Roger SCRUTON, *Arguments for Conservatism. A Political Philosophy*, Continuum International Publishing Group, 2006

Charles de Gaulle citado em Alain PEYREFITTE, *C'était de Gaulle I*, Éditions de Fallois/Fayard, 1994

Vincent DUCLERT, "La "Maison de l'histoire de France", Histoire politique d'un projet présidentiel", in *Quel musée d'histoire pour la France?*, Armand Colin, 2011

Alain RENAUT, *Un humanisme de la diversité. Essai sur la décolonisation des identités*, Flammarion, 2009

Maurice BARRÈS, *Les Déracinés*, Gallimard, coleção "Folio", 1988

Lucien FEBVRE e François CROUZET, *Nous sommes des sang-mêlés. Manuel d'histoire de la civilisation française*, Albin Michel, 2012

Jean-Paul DEMOULE, entrevista, in *Le Nouvel Observateur*, 9 de agosto de 2012

Charles PÉGUY, *L'Argent suite, Œuvres en prose complètes III*, Gallimard, coleção "Bibliothèque de la Pléiade", 1992

Marwan MUHAMMAD, secretário-geral do Collectif contre l'islamophobie en France, citado em Élisabeth Schemla, *Islam, l'épreuve française*, Plon, 2013

Emmanuel LEVINAS, Entrevista com François Poirié, Actes Sud, coleção "Babel", 1996

Paul-Jean TOULET, "Vers inédits" in *Œuvres complètes*, Robert Laffont, coleção "Bouquins", 2003

A lição de Claude Lévi-Strauss

Jean-Pierre OBIN, "Les signes et manifestations d'appartenance religieuse dans les établissements scolaires", in *L'École face à l'obscurantisme religieux*, Max Milo, 2006

Pascal LAINÉ, *L'Irrévolution*, Gallimard, 1979

Salim BACHI, "Moi, Mohamed Merah", in *Le Monde des Livres*, 30 de março de 2012

Christophe GUILLUY, *Fractures françaises*, François Bourin Éditeur, 2010

Olivier FERRAND, Bruno JEANBART, *Gauche: quelle majorité électorale pour 2012?*, Fondation Terra Nova, 2011

Bertolt BRECHT, "La Solution", tradução de Maurice Regnaut, in *Anthologie bilingue de la poésie allemande*, Gallimard, coleção "Bibliothèque de la Pléiade", 1993

Claude LÉVI-STRAUSS, *Race et Histoire*, Gallimard, coleção "Folio plus", 2007

Edward Burnett Tylor, "Primitive Culture", citado em Claude LÉVI-STRAUSS, *Race et Histoire, op. cit.*

Roger CAILLOIS, "Illusion à rebours", in *Nouvelle Revue Française*, nº 24-25, 1955

Claude LÉVI-STRAUSS, "Race et Culture", in *Lê Regard éloigné*, Plon, 1983

Jean DANIEL, "Lévi-Strauss, les immigrés, Le Pen", in *Miroirs d'une vie*, Gallimard, 2013

______, *De près et de loin. Entretiens avec Didier Eribon*, Odile Jacob, 2009

Emmanuel LEVINAS, "Signature", in *Difficile liberté*, Albin Michel, 1976

"Uma coisa bela, preciosa, frágil e perecível..."

Marcel PROUST, *Sur la lecture*, Éditions Complexe, 1987

Nicholas CARR, *Internet rend-il bête?*, tradução de Marie-France Desjeux, Robert Laffont, 2011

Olivier DONNAT, *Les Pratiques culturelles des Français à l'ère numérique. Enquête*, La Découverte / Le Ministère de la Culture et de la Communication, 2008

Susan MAUSHART, *Pause*, tradução de Pierre Reignier, NiL Éditions, 2013

Roger CHARTIER, *Le Livre en révolutions*, Textuel, 1997

Antoine COMPAGNON, "Lire numérique", in *Le Débat* nº 170, maio-agosto de 2012

John P. BARLOW, "Déclaration d'indépendance du cyberespace", in *Libres enfants du savoir numérique*, Éditions de l'Éclat, 2000

Michel Serres, *Petite Poucette*, Éditions Le Pommier, 2012

Mona OZOUF, "Apprendre à ne pas lire", in, *Le Débat* nº 135, maio-agosto de 2005

Cécile REVÉRET, *La Sagesse du professeur de français*, L'Œil neuf éditions, 2009

Ernst Robert CURTIUS, *Essai sur la France*, tradução de Jacques Benoist-Méchin, Éditions de l'Aube, 1990

Charles Du Bos, "Introduction à Feuilles tombées de René Boylesve", in *Approximations*, Éditions des Syrtes, 2000

Albert THIBAUDET, "Pour la géographie littéraire", in *Réflexions sur la littérature*, Gallimard, coleção "Quarto", 2007

David HUME, *De la naissance et du progrès des arts et des sciences, op. cit.*

VOLTAIRE, *Le Siècle de Louis XIV*, Hachette, Le Livre de Poche, 2005

Charles DICKENS, *Les Temps difficiles*, tradução de Andrée Vaillant, Gallimard, coleção "Folio", 1985

Pierre BOURDIEU, *La Distinction. Critique sociale du jugement*, Éditions de Minuit, 1979

Christian BAUDELOT e Roger ESTABLET, *Le niveau monte. Réfutation d'une vieille idée concernant la prétendue décadence de nos écoles*, Editions du Seuil, 1989

Charles PÉGUY, *Les Suppliants parallèles*, in *Œuvres en prose complètes II*, Gallimard, coleção "Bibliothèque de la Pléiade", 1988

Fadila MEHAL, presidente-fundadora de "Marianne de la diversité", citada em Réjane SÉNAC, *L'Invention de la diversité*, PUF, 2012

Renaud CAMUS, *Répertoire des délicatesses du français contemporain*, P.O.L., 2000

CRAN (Conseil représentatif des associations noires de France) citado em Pierre JOURDE, *C'est la culture qu'on assassine*, Balland, 2011

Paul CLAUDEL, "Un regard sur l'âme japonaise. Discours aux étudiants de Nikkô", in *Connaissance de l'Est*, Gallimard, coleção "Poésie", 1974

CHATEAUBRIAND, *Mémoires d'outre-tombe*, Gallimard, coleção "Bibliothèque de la Pléiade", 1951

Pierre Elliott Trudeau, *La Grève de l'amiante*, citado em Éric BEDARD, *Recours aux sources. Essais sur notre rapport au passé*, Boréal, 2011

Simone WEIL, *L'Enracinement*, Gallimard, coleção "Folio essais", 1990

A guerra dos respeitos

Thomas HOBBES, *Léviathan*, tradução de Gérard Mairet, Gallimard, coleção "Folio essais", 2000

Véronique BOUZOU, *Ces profs qu'on assassine*, Éditions Jean-Claude Gawsewitch, 2009

Cécile ERNST, *Bonjour madame, merci, monsieur. L'urgence de savoir vivre ensemble*, Jean-Claude Lattès, 2011

Renaud CAMUS, *Abécédaire de l'in-nocence*, Éditions David Reinharc, 2010

Baruch SPINOZA, *Traité des autorités théologique et politique, op. cit.*

Emmanuel Kant citado em Rudolf EISLER, *Kant-Lexikon* (artigo "Respect"), tradução de Anne-Dominique Balmès e Pierre Osmo, Gallimard, 1994

Thornton WILDER, *Theophilus North, The Library of America*, 2011

Jean-François CHEMAIN, *Kiffe la France*, Via Romana, 2011

Alexis de TOCQUEVILLE, *De la démocratie en Amérique*, Robert Laffont, coleção "Bouquins", 1986

Jean DANIEL, *Comment peut-on être français?*, Les Belles Lettres, 2012
Hannah ARENDT / Gershom SCHOLEM, *Correspondance*, tradução de Olivier Mannoni, Éditions du Seuil, 2012
Charles PÉGUY, "Notre jeunesse", in *Œuvres en prose III, op. cit.*
Theodor ADORNO, *Dialectique négative*, tradução do grupo de tradução do Collège de Philosophie, Payot, 1978
Saul Bellow, "To Jerusalem and Back", in Jeffrey MEHLMAN, *Adventures in the French Trade*, Stanford University Press, 2010
Charles PÉGUY, "Lettre du provincial", in *Œuvres en prose complètes I*, Gallimard, coleção "Bibliothèque de la Pléiade", 1987
Paul VALÉRY, "Regards sur le monde actuel", in *Œuvres II*, Gallimard, coleção "Bibliothèque de la Pléiade", 1960
Solange VERGNIÈRES, *Éthique et politique chez Aristote*, PUF, 1995
Rabino Haïm de VOLOZINE, *L'Âme de la vie*, tradução de Benjamin Gross, Éditions Verdier, 1986
Sob a direção de Emmanuel BRENNER, *Les Territoires perdus de la République. Antisémitisme, racisme et sexisme en milieu scolaire*, Mille et une nuits, 2004
Alain BADIOU e Éric HAZAN, *L'Antisémitisme partout. Aujourd'hui en France*, Éditions La Fabrique, 2011
Ian BURUMA, *On a tué Théo Van Gogh. Enquête sur la fin de l'Europe des Lumières*, tradução de Jean Vaché, Flammarion, 2006
Aymeric PATRICOT, *Autoportrait du professeur em territoire difficile*, Gallimard, 2011
Iannis RODER, *Tableau noir. La défaite de l'école, op. cit.*
Mara GOYET, *Tombeau pour le collège*, Flammarion, coleção "Café Voltaire", 2008
______, *Collège brutal*, Flammarion, coleção "Café Voltaire", 2012
Claude Allègre citado em Adrien BARROT, *L'enseignement mis à mort*, Librio, 2000
Camille LAURENS, *Dans ces bras-là*, P.O.L., 2000
Charles PÉGUY, *L'argent*, in *Œuvres en prose complètes III, op. cit.*

Marcel GAUCHET, "Essai de psychologie contemporaine I", in *La Démocratie contre elle-même*, Gallimard, coleção "Tel", 2002

Alain RENAUT, *La Libération des enfants. Contribution philosophique a une histoire de l'enfance*, Calmann-Lévy / Bayard, 2002

Philippe MURAY, "Du monde sans autrui", in *Après l'Histoire*, Gallimard, coleção "Tel", 2007

Charles TAYLOR, *Multiculturalisme. Différence et démocratie*, tradução de Denis-Armand Canal, Aubier, 1994

Léo STRAUSS, *Le Libéralisme antique et moderne*, tradução de Olivier Berrichon Sedeyn, PUF, 1990

Impresso no Brasil pelo
Sistema Cameron da Divisão Gráfica da
DISTRIBUIDORA RECORD DE SERVIÇOS DE IMPRENSA S.A.
Rua Argentina, 171 – Rio de Janeiro, RJ – 20921-380 – Tel.: (21)2585-2000